Les Éditions du Boréal sont inscrites au Programme de subvention globale du Conseil des Arts du Canada.

Maquette de la couverture: Rémy Simard
Illustration: Caroline Mérola

Dépôt légal: 4e trimestre 1993
Bibliothèque nationale du Québec

Diffusion au Canada: Dimedia
Distribution en Europe: Les Éditions du Seuil

onnées de catalogage avant publication (Canada)

rière, Paule

Esprit, es-tu là?

(Boréal Inter; 26)
Pour les jeunes.

ISBN 2-89052-569-4

I. Titre.

S8553.R4535E86 1993 jC843'.54 C93-097184-1
S9553.R4535E86 1993
Z23.B74Es 1993

Esprit, es-tu là?

* * *

Je m'ennuie. Pas de Mélanie quand même! Je l'aime bien mais pas à ce point-là. Je m'ennuie de Charlie. Une semaine que ça dure. Il m'évite. Il me fuit. Mais nous deux, ce n'est pas fini. Ça ne peut pas être fini. Il m'aime encore, je le sens, je le sais.

Il me fuit, mais il me suit. Il m'évite, mais il me fixe. On dirait qu'il m'appelle. Ah! ses yeux comme de l'eau, ses lèvres qui tremblent, son air de chevalier blessé... J'ai une envie folle de courir vers lui, de le prendre dans mes bras, de le serrer fort, fort. Je me retiens à quatre mains; c'est à lui de faire les premiers pas!

Mais je m'ennuie. Pour vrai. Je ne trouve plus ça drôle. Ce n'est plus du cinéma. Je ne veux plus rien savoir des difficultés, des obstacles, des amours impossibles. La tête qui tourne, le cœur dans la gorge, les sueurs dans le dos chaque fois que je le vois, j'en ai assez.

J'ai envie de regarder le soleil se

coucher, les étoiles s'allumer, dans ses bras. J'ai envie de danser, de grimper, de nager contre lui. J'ai envie de passer des nuits entières à faire la folle, à rire avec lui, à parler, à tout se raconter. J'ai envie de m'endormir sur son épaule. J'ai envie de ses bras autour de ma taille, de sa voix basse dans mon oreille, de ses joues qui piquent et chatouillent, de ses lèvres sur les miennes, de ses yeux dans mes yeux. Je n'en peux plus. Je crève d'ennui! Maudite chicane! Maudite *dope* aussi!

3

L'infante

C'est comme ça, les voyages astraux. On ne fait pas toujours exprès. Suffit d'être bien relax, de penser à quelque chose d'un peu spécial et l'esprit s'envole avec une petite incantation plus ou moins volontaire. Mou-mou-mou-lourd-lourd-lourd, c'est ça la «formule magique», si vous voulez essayer. Avec de la pratique, j'en suis même arrivée à un simple «mourlour», genre mantra de méditation zen.

Mais ça ne marche pas pour tout le monde. En tout cas, ça ne marche pas pour Charles-Yves. Ni tout du long, ni en nouvelle formule ultrarapide. Je me demande s'il n'est pas un peu jaloux, d'ailleurs. C'est peut-être pour ça qu'il force sur la *dope*? Peut-être à cause de ses parents aussi. Ils sont vraiment pénibles ceux-là. Ils ont appris que Charles-Yves dormait parfois chez Maryse avec moi la fin de semaine. Ils ont fait un cirque terrible. Ils l'ont traîné de force à la campagne. Bien sûr, il s'est poussé. Bien sûr, il est venu chez moi. Bien sûr, ses parents le savaient, ce n'était pas sorcier à deviner. Eh bien, ils n'ont même pas appelé, ils ont tout de suite envoyé la police. Pour fugue. Ils menacent même de le placer en centre d'accueil!

J'espère qu'ils ne tomberont pas sur son petit sac de poudre. Ça serait une trop bonne excuse pour mettre leur menace à exécution. On dirait que Charles-Yves le fait exprès, qu'il court après les ennuis. On en a pourtant assez comme ça, sans en remettre sur le tas. S'il me parlait plutôt que de faire la gueule, aussi.

Je m'ennuie. Alors je pars. «Mour...» J'oublie un peu. «Lour». Reste à savoir où j'atterris. Où et quand. Parce qu'au cas où vous ne le sauriez pas, les voyages astraux, ça balade dans le temps autant que dans l'espace. Bien mieux que la poudre, ça! Mais pas vraiment moins risqué. Parce qu'on ne sait jamais exactement où on aboutit.

Là, tout de suite, j'ai l'impression très nette d'être dans un château. Avec mes histoires de princes charmants, ça tombe sous le sens. Moi qui voulais me changer les idées, je suis servie!

Alors, voilà. C'est une grande pièce aux murs de pierre interminables, éclairée par des torches et meublée seulement d'un énorme lit à baldaquin en bois sculpté croulant sous les fourrures. Mon esprit s'est posé sur un de ses poteaux. Il y a aussi des vêtements sales qui traînent à terre et un feu qui gémit dans un foyer de pierre. Il fait plutôt froid quand même. Et ça pue, mais ça pue! Vous savez, l'odeur d'une chambre de malade. Un mélange de sueur, de pets et de mauvaise haleine qui n'aurait pas été aéré depuis des mois. Écœurant! Comme s'il y avait quelqu'un d'à moitié pourri dans le lit.

Ce n'est pas tout à fait l'idée que je me fais de la chambre d'une princesse. À en juger par les vêtements, je pencherais plutôt pour un prince. Mais charmant, ça, j'en doute. Le nez bouché peut-être... En tout cas, une chose est certaine, je ne suis pas tombée dans un conte. Encore moins dans un film de Walt Disney. Je suis dans la vraie vie, dans un vrai château du vrai moyen âge. OUAH! Je ne suis jamais allée si loin dans le temps. Qu'est-ce qui m'attend? C'est un peu apeurant...

Ah! La porte s'ouvre. Enfin un peu d'air frais. Froid même, on gèle encore plus à l'extérieur. Ferme la porte, espèce de... Oh! oh! Je ferais mieux de surveiller mon langage. Cet affreux bonhomme m'a tout l'air de quelqu'un d'important. La bedaine bien nourrie, pétant sous l'habit de cuir incrusté de pierreries, et l'épée d'argent étincelante. Il est suivi par toute une bande de jeunes nonos qui lui servent à boire, le déshabillent, lui lavent les mains et les pieds... lui lèchent le cul, quoi!

—Oui, oui, Majesté. Tout de suite, Votre Majesté.

Nous y voilà! C'est le roi. Oh là là! Je suis tombée dans la chambre d'un roi. Quel honneur! Quoique, honnêtement, j'aurais préféré un petit tour chez la Belle au bois dormant. Parce qu'il n'a vraiment pas l'air commode, ce roi-là. Il gueule sans arrêt. Il distribue généreusement les claques pour je ne sais trop quelle abominable gaffe du genre une goutte de vin sur le plancher.

—Et vous irez tous pourrir sur la paille de mes cachots, si la réception n'est pas parfaite pour mon infante.

Vous savez ce que c'est, vous, une infante? Bravo, moi je l'ignorais, jusqu'à ce qu'elle se pointe. Je pensais infante, infanterie: peut-être son armée? Pas toute dans la chambre quand même! Juste un messager? Mais pourquoi lui réserver pareille réception? À moins que ce ne soit la reine?

Bingo! Voilà la dame. Maigre, verdâtre, couverte de bijoux et de tissus brodés, les cheveux graisseux mal cachés sous un ridicule chapeau à corne et à voile, puant presque autant que Monsieur malgré le lourd parfum de lavande. Beau couple, vraiment très bien assorti! Comment a-t-on pu fabriquer des contes à faire rêver tous les petits enfants du monde avec des horreurs pareilles?

Et voilà la jolie princesse qui suit la méchante reine. Petite, frêle, trottinant derrière la grande, aussi lentement qu'elle le peut, apparemment. La peau plus blanche que blanche: elle serait parfaite dans une publicité de javellisant javex pour les non-javellisables! Des yeux noirs immenses, exorbités, terrifiés. À peu près la tête de Blanche-Neige apprenant que sa reine de belle-mère veut sa mort, quoi! Et le cou raidi sous le poids d'une énorme couronne d'or et de pierres précieuses.

Mais qu'est-ce qui se trame ici? Pourquoi la princesse a-t-elle l'air d'une condamnée à mort? Comment se fait-il qu'elle soit la seule à porter une couronne? Et pourquoi le roi s'approche-t-il d'elle sans même regarder la vieille schnoque qui l'accompagne?

—Vous voici enfin, ma reine. Comme il me tardait de vous accueillir dans votre nouveau royaume. Vous êtes aussi charmante que votre portrait l'indiquait. Un peu maigrelette peut-être... mais nous y pourvoirons. Votre père, le roi d'Alhambra Kadabra a donc reçu les titres et présents scellant notre accord. J'en suis fort aise. Je vois qu'il vous a fait accompagner par votre vieille dame de compagnie. Si vous tenez à la garder auprès de vous, je ne m'y opposerai pas, tant qu'elle nous sera loyale.

Quoi? Non! Ce n'est pas possible. Je me trompe sûrement! Cette fille-là n'a pas douze ans. Elle ne peut pas être reine. Elle ne peut pas être mariée à ce vieux dégueulasse! J'ai mal compris. Ou alors c'est lui qui prend ses désirs pour des réalités. Le problème, c'est qu'il dispose de tous les moyens nécessaires pour les réaliser, ses désirs.

Justement, le voilà qui attire brusquement la pauvre petite reine à lui, et qui se met à la tâter pour voir si elle est bien fraîche. Les joues, passe encore à la rigueur, tous les vieux mononcles *achalants font ça. Mais la poitrine, le ventre, les fesses, les cuisses, et pas seulement à travers le tissu, en dessous aussi. OUACHE! Il a de la chance que je n'aie pas atterri dans le corps de cette pauvre fille, parce qu'il aurait mon pied quelque part. Et pas dans la figure!*

Elle, elle ne bouge pas. Elle est comme pétrifiée. Mais je vois bien les larmes dégringoler sur ses joues. Lui aussi, il les voit d'ailleurs.

—Ne pleurez pas pour si peu, ma délicieuse. Que ferez-vous au lit? Vous

êtes un peu jeunette pour me donner un fils, cela est vrai, mais point trop pour amuser votre roi! Ha, ha, ha!

Quelle horreur! Non seulement il est vieux, laid, puant et tyran, mais en plus c'est un affreux vicieux qui viole les petites filles! Et personne ne bronche. Au secours! Donnez-moi dix mauvais sorts, cent contes de fées, mille Walt Disney, tout plutôt que cet abominable roi!

Moi qui pensais rapporter de belles histoires vraies à Mélanie. Des plans pour la traumatiser à vie, oui!

* * *

J'ai parlé de ce terrible voyage à mon prof d'histoire. Enfin, pas vraiment du voyage, ça je n'en souffle mot à personne. Sauf à Charles-Yves. Et comme on ne s'adresse plus la parole... Alors j'ai parlé au prof du moyen âge des vieux qui épousaient des petites filles. J'ai raconté que j'avais lu ça dans un roman.

C'est que je me demande si mon esprit ne me joue pas des tours. C'est vrai, quoi! Je n'aurais jamais cru aux voyages astraux, avant d'en faire moi-même, tout à fait par hasard. Maintenant, je sais très bien que c'est possible. Alors, si l'esprit peut faire du tourisme sur commande, il peut sûrement faire autre chose encore. Du cinéma par exemple, ça ne m'étonnerait pas. Ou de la paranoïa. Dans le fond, peut-être que Charles-Yves n'a pas tout à fait tort de me traiter de schizo. Je pense que je préférerais presque être folle et que tout ça ne soit pas vrai, mais...

— C'est une réalité historique, en effet. Il ne faut cependant pas la juger avec notre mentalité d'aujourd'hui. La situation était différente. Les enfants étaient considérés comme des adultes en miniature. Ils devaient travailler très tôt. Ils étaient majeurs dès huit ou dix ans. Et le mariage n'était pas une histoire d'amour, plutôt une question d'alliance de pouvoir et de gros sous. Si le moyen âge t'intéresse, tu pourrais préparer un exposé là-dessus, je te conseillerai des livres.

J'ai dit oui, merci monsieur, et je suis partie en courant. Tu parles! Elle est déjà faite ma recherche! Et je n'ai pas eu besoin de bouquins... Mais dans le fond, son idée n'est pas bête. Je n'ai jamais eu beaucoup de succès avec les voyages pendant les examens. Mais pour un travail de recherche, c'est moins risqué. Je mène ma petite enquête bien tranquille chez moi, je vérifie mes conclusions avec le prof, et il me fournit lui-même la bibliographie. C'est la grosse note assurée! Pas juste en histoire, d'ailleurs. En géo aussi, et quoi encore? Même en science. Je n'ai qu'à aller faire un tour dans les labos de Marie Curie, par exemple, ou dans la navette spatiale de Julie Payette, la *superwoman* des astronautes.

Mais il y a un hic. Si je veux pondre un travail sur le mariage au moyen âge, il va falloir que j'y retourne. C'est fou ce que ça me tente! Autant qu'un examen surprise en maths, si vous voyez ce que je veux dire... J'ai la nausée rien qu'à l'idée de me retrouver avec ce vieux cochon et sa pauvre petite infante. Ça demande réflexion.

4

Chicane d'amoureux

Il y a des moments dans la vie où il faut prendre son courage à deux mains et maîtriser un peu ses émotions. C'est décidé, je vais lui dire ma façon de penser. Pas au roi, pas tout de suite. Je ne suis pas encore certaine de retourner le voir, celui-là. Il faut d'abord que je réfléchisse, que je trouve un moyen de sortir Infante de là. Je veux bien faire une recherche historique, mais il ne faut pas compter sur moi pour l'objectivité scientifique absolue. Je ne peux quand même pas observer froidement le viol de ma pauvre Infante en prenant tranquillement des notes dans un petit cahier.

Reste qu'un sauvetage astral, ça ne s'improvise pas comme ça!

Non, c'est à Charles-Yves que je vais parler entre quat'z'yeux. Ça fait presque trois semaines qu'on se tourne autour sans rien oser se dire, même pas un petit bonjour poli. Ça ne peut plus durer. Je suis certaine qu'il pense à moi autant que je pense à lui, qu'il cherche un moyen de nous sortir de cette querelle idiote. Ce n'est pourtant pas sorcier. Deux mots: je — t'aime. S'il est trop *pogné* ou trop fier pour les dire, moi je vais le faire. Ça *urge*! Plus le temps passe, plus c'est difficile, plus on s'éloigne, plus on doute.

Si je me trompais? S'il ne voulait plus rien savoir de moi? S'il ne m'aimait plus? J'en arrive presque à me demander si je n'ai pas rêvé tout ça: nos jeux, nos caresses, notre complicité, notre amour quoi! On dit: loin des yeux, loin du cœur. On pourrait même dire: loin des mains, loin du cœur. Parce qu'on se voit, on se croise tous les jours à la poly.

Parfois, à la cafétéria, je me retourne. Comme ça, sans savoir pourquoi, parce qu'un appel invisible m'attire par-derrière. Je rencontre ses yeux, ses beaux yeux verts comme une rivière, ses beaux yeux d'eau comme la tristesse. Mais sans ses mains sur moi, je doute de tout. Le contact ne se fait plus. Trop loin pour se toucher, trop loin pour s'aimer? Si ça continue comme ça, on va se perdre complètement.

Non, ce n'est pas possible. Ça suffit. Je me lance. La prochaine fois que je sens son regard sur moi comme un appel au secours, je plonge dans ses yeux, je nage jusqu'à lui, je me coule dans ses bras, je lui fais du bouche à bouche. Sauvetage en règle.

— Charles-Yves? Euh... Salut. Je voulais te dire... Euh... C'est bête, hein? Je veux dire nous deux...

Ouille! Ce que ça cogne fort là-dedans! C'est que je plonge en apnée, moi, dans ces yeux-là. Charlie, réponds-moi vite avant que mon cœur fasse exploser ma poitrine et que je coule à pic! Mon chevalier romantique, mon Tristan, mon Lancelot, mon Charlie à moi, dis que tu m'aimes encore...

— Peut-être qu'on peut recommencer au début. Je vais t'attendre au parc ce soir, et toi, tu te pointes avec tes collants noirs, ta petite jupe fluo et ton air perdu, comme la première fois, d'accord?

Incapable de choisir entre le rire et les larmes, je me suis jetée dans ses bras. Ouf! Ce que c'est bon! Ce que ça fait du bien! On a beau savoir que ce n'est pas fini, que ça ne peut pas finir comme ça, on a beau se dire que notre amour est le plus fort, ça soulage quand même un grand coup de le vérifier.

La journée n'était pas terminée. Il nous restait encore trois cours, mais on avait mieux à faire. On s'est tirés en douce. Ne le dites à personne... On s'est promenés, bien collés. Sans un mot. Tout au plaisir d'être ensemble. Sentir la chaleur de l'autre, son odeur.

Marcher au même pas, sans faire exprès, et en rigoler. S'arrêter pour se regarder au fond des yeux, jusqu'au fond du cœur, jusqu'à en pleurer. S'embrasser. Se noyer dans nos baisers salés. S'embrasser, s'embrasser sans reprendre souffle, s'embrasser sans s'arrêter. S'embrasser encore... Jusqu'à ce que les enfants de l'école se mettent à nous siffler. Sont niaiseux. Mais je sais ce que c'est, j'ai fait pareil à leur âge.

Et puis, on s'est quand même retrouvés au parc. Oui, oui, le même parc, celui de notre première fois. On n'a pas vraiment fait exprès. La petite mise en scène de Charlie, c'était une idée charmante, mais pas indispensable. On a marché puis on est arrivés, c'est tout. Comme si un aimant nous y attirait. Alors on s'est assis sur le banc. Le banc de notre première fois. Forcément, le parc est tout petit, il n'y en a qu'un. Et on s'est mis à parler, comme la première fois. De tout et de rien. Et de voyages.

La *coke*, c'est pour faire chier ses parents, les pousser à bout pour qu'ils le mettent à la porte pour de bon. Ou pour les oublier un bon moment, au moins. C'est un peu à cause de mes voyages aussi. Charles-Yves dit que ça le gêne. Il sent ça comme si je me dérobais, que je lui échappais. Il voudrait me suivre. Tout oublier. Vivre une autre vie, au moins de temps en temps. Avec la *coke*, il pense y arriver. Il dit aussi qu'il ne sait jamais quand je suis vraiment là et quand je n'y suis pas. Surtout quand on se caresse. Il me trouve passive, je ne réponds pas assez.

— Voyons donc, je partirais jamais dans un moment comme ça. C'est trop bon. Mais répondre... je sais pas. J'ai peur qu'on aille trop loin, trop vite.

Quoique, si j'étais tout à fait honnête, j'avouerais qu'une fois... Mais ce n'était pas exactement pendant. Tout de suite après, disons.

C'était une fin de semaine de camping, avec Julien, mon père, et sa Lola. Ils étaient empêtrés dans les poteaux, les piquets et les instructions en allemand de leur nouvelle tente autoportante ultralégère. On en a profité pour s'échapper à pas de loup. Puis à pas de chevreuil poursuivi par des chasseurs à travers la forêt. Puis à pas de chèvre de montagne pour escalader une paroi comme une muraille. Finalement, un saut de biche et un immense lit de mousse épaisse et moelleuse nous accueillait à l'ombre de ce rempart. Impossible de résister. On s'est roulés dedans en riant, en se tiraillant, se chatouillant, se bécotant, se caressant.

Ah! qu'on était bien! Le soleil venait de disparaître derrière le mur de notre château. On savourait la lumière dorée, les petits bruits de la forêt qui s'active avant le soir, la fraîcheur humide de la mousse, et la chaleur de nos corps. On était collés, collés, ma tête sur son ventre, la sienne sur ma cuisse, ses bras autour de ma taille, ses mains oubliées sous mon chandail. Mais on ne faisait plus rien, on ne bougeait plus. Je ne sais pas ce qui s'est passé. J'étais bien, je ne pensais à rien. J'étais tellement bien, j'avais envie d'être bien comme ça, avec Charlie, toute ma vie.

C'est là que l'idée m'est venue, sans que je le fasse exprès. Depuis le début, je me promettais un petit voyage dans le futur, pour vérifier si notre amour était digne des contes de fées. Alors, je suis partie, presque sans m'en rendre compte. Oh! pas longtemps, quelques minutes à peine. Je ne me suis pas éternisée. Surtout que ce que j'ai vu ne m'a pas vraiment plu.

Je ne me suis pas trompée, non. J'aurais pu reculer dans le passé ou avancer tellement loin dans l'avenir qu'on aurait été deux petits vieux ratatinés. J'aurais pu partir dans un conte de fées ou retourner chez mon affreux roi du moyen âge. Rien de tout ça. Mon esprit a très bien pigé les directives. «Mourlour». Il a fait un saut de vingt ans à peu près, j'avais l'air d'être, mettons, dans la trentaine.

Un petit tailleur genre femme d'affaires, très chic, mais froissé. Les cheveux courts, frisés, une permanente sûrement. Pour le reste, le maquillage, les rides, bref le visage, je ne sais pas. La tête enfouie dans un oreiller, je pleurais comme un bébé. Pauvre petite moi. J'aurais bien voulu me consoler, mais je n'avais aucune idée de ce qui avait bien pu déchaîner ce torrent. Puis, entre deux hoquets et trois reniflements, je me suis entendue soupirer.

—Pourquoi, Charles? Pourquoi?

Charles? Sûrement Charles-Yves. C'était donc lui la cause de tous mes chagrins? Alors on était encore ensemble! Parfait, c'est ce que je voulais, il n'y a pas de quoi se plaindre. Sauf que le grand amour n'avait pas l'air de traîner dans le coin, si vous voyez ce que je veux dire. J'ai eu plutôt l'impression de tomber en plein dans une belle grosse peine d'amour.

Ouais. Je veux bien qu'on soit ensemble au moins jusqu'à trente ans, mais je veux surtout qu'on s'aime, qu'on soit heureux. C'est ça le contrat! Sinon, ce n'est pas vraiment la peine, autant changer de conte de fées tout de suite.

Le pire, c'est que je n'ai même pas réussi à piger le problème. Est-ce que Charles-Yves venait de me tromper, de me frapper, de me plaquer? Peut-être même qu'il venait de mourir du cancer, du sida, d'un accident, je ne sais pas moi! Et puis, est-ce que c'était bien lui? La coïncidence était forte, c'est certain. Mais après tout, je ne l'appelle jamais Charles, toujours Charles-Yves ou alors seulement Charlie...

Me voir souffrir comme ça, sans comprendre pourquoi, c'était trop dur. Je suis revenue *subito presto.* C'est pour ça que je n'ai pas soufflé mot de mon petit voyage dans la trentaine. J'étais déçue. Et puis je ne savais pas vraiment quoi dire...

5

Le destin

Charles-Yves a compris. Il voulait qu'on fasse un pacte pour arrêter les voyages, scellé avec notre sang et tout. C'était follement romantique! Mais je ne pouvais pas accepter. À cause d'Infante.

Je ne vais quand même pas la laisser tomber! Pauvre Infante! En fait, je ne sais absolument pas ce que je peux faire, mais il me semble qu'il faut au moins que j'essaie. Sinon, je vais porter son viol sur ma conscience toute ma vie.

J'ai expliqué la situation à Charlie, il a accepté. Je continue mes voyages même si lui promet d'arrêter les siens. Il a même proposé de m'aider. En échange, il m'a fait jurer de tout lui dire sur mes voyages. À l'avenir.

Enfin, il me semble que c'était sous-entendu. Je n'étais pas obligée de lui raconter tous ceux que j'avais faits jusqu'à maintenant. Trop long. Je n'étais pas forcée de lui avouer que j'en avais fait un dans ses bras, non? Ce n'était peut-être pas parfaitement honnête, mais c'était pour une bonne cause. Je ne voulais pas qu'on se fâche encore. Surtout pas pour un truc qui se passerait seulement dans vingt ans.

Si on s'engueulait pour ça maintenant, est-ce que ça changerait quelque chose? Peut-être qu'on peut régler la question tout de suite, et on n'en reparlerait plus... Encore faudrait-il la connaître, la question. Et si c'était assez grave pour qu'on casse? Mais non, puisque je nous ai vus! Enfin presque...

Alors je ne peux rien changer? Même si je me voyais, je ne sais pas moi, mourir dans un accident d'avion, je ne pourrais rien faire pour l'empêcher? C'est débile! N'importe qui refuserait de courir volontairement à la mort comme ça. Je n'aurais qu'à ne jamais prendre l'avion. Ça ne tient pas debout!

J'ai l'impression d'avoir toute ma vie entre mes mains. Est-ce que j'ai le droit de jouer avec mon destin? Pourquoi pas? Qu'est-ce que ça veut dire le destin? C'est ma vie, après tout, j'ai le droit de la vivre comme je l'entends. Si c'est pour être heureuse, tous les moyens sont bons. Même s'ils ne sont pas ce qui se fait de plus ordinaire.

Mais il n'y a pas que moi là-dedans. Qu'est-ce que je fais pour Charles-Yves? Si je change notre relation, je change sa vie aussi... Et Infante? Est-ce que je peux la sauver de son triste sort? Est-ce que j'en ai le droit? Est-ce que j'en ai le pouvoir, la simple capacité? Vous me suivez? Aïe! que c'est compliqué!

Bon, pour Charles-Yves et cette histoire de couple, j'ai encore vingt ans pour intervenir, il n'y a pas le feu. Par contre, pour Infante, j'ai déjà des siècles de retard... Reste à trouver une stratégie.

* * *

«Il était une fois une charmante petite princesse à la peau aussi blanche que la neige, aux yeux aussi noirs que le charbon et aux lèvres aussi rouges que le sang.»

—Je la connais. C'est Blanche-Neige!

—Non, Mélanie. C'est une autre princesse qui lui ressemble. Allez, on continue. «Sa mère, la reine, l'aimait tendrement et son père, le roi, l'adorait et la couvrait de cadeaux. Jusqu'au jour où un dragon entra au royaume.»

—Il est méchant, le dragon?

—Bien sûr, ma Mélie. Tous les dragons sont méchants. Laisse-moi continuer. «Le méchant dragon ravageait tout sur son passage. Le roi devait protéger ses sujets. Il décida donc d'aller combattre ce vilain dragon. La petite princesse eut beau le supplier de rester, d'envoyer quelques chevaliers risquer leur vie à sa place, rien n'y fit. Le roi partit.»

— Est-ce qu'il va tuer le dragon?

— Mélanie, écoute si tu veux le savoir! «Les jours passèrent, la princesse était de plus en plus inquiète pour son père. Un messager arriva enfin, porteur d'une bien triste nouvelle: le roi était mort.»

— Mort pour toujours?

— Oui, Mélanie. Quand on meurt, c'est toujours pour toujours.

— Pas toujours, toujours. Blanche-Neige, elle est pas morte pour toujours, elle.

— Blanche-Neige, c'est différent. C'est juste une histoire. Mon histoire à moi, c'est comme dans la vraie vie. Et puis tais-toi un peu, à ce rythme-là, on en a pour la nuit! «Quelques mois plus tard, sa mère se remaria avec un roi très puissant. La petite princesse n'aimait pas son beau-père, qui était orgueilleux et cruel. Le roi n'aimait pas non plus la princesse. Il se débarrassa d'elle en la mariant à un roi de ses amis.»

—Tu veux dire un prince charmant?

—Non, Mélie. Pas un prince, un roi. Et pas charmant du tout avec ça! «Ce roi était si méchant qu'il se mit bientôt à battre la pauvre petite princesse. Si par malheur elle osait se plaindre, pousser le moindre cri, laisser échapper le plus faible gémissement, verser la plus petite larme, il l'enfermait dans son ignoble donjon, plein d'araignées affreuses, de vipères visqueuses et de rats rabougris.»

—Elle est même pas belle ton histoire! Elle me fait peur! Je l'aime pas! Et puis, elle se peut même pas. C'est pas les rois qui marient les princesses, c'est les princes charmants, bon! Et c'est même pas les rois qui sont méchants comme ça, c'est les vieilles sorcières, na!

— Ça va, ça va. Panique pas, Mélie. Je vais pas la laisser pourrir là, ma petite princesse. Je cherche justement une belle fin pour mon histoire. Est-ce que tu veux m'aider à la délivrer?

— Voyons Annie, c'est bébé-fafa. T'as qu'à la sauver, toi.

— Moi?

— Bien oui. C'est toi que tu inventes l'histoire, tu peux tout faire. Moi quand je joue, je peux tout. Attends, je vais te montrer. On dirait que je serais la princesse. Mon lit, ça serait le donjon et ton cheval, c'est mon tricycle. Avec ton épée tu zapouilles le méchant dragon qui me retient prisonnière. Il te reste qu'à m'embrasser et à m'amener dans ton château pour faire des bébés! C'est facile.

— Facile, tu dis? Tout le monde peut monter à cheval, fille ou garçon, c'est pas trop difficile en effet. Se battre à l'épée: il y a des filles qui le font, je peux l'apprendre, mais c'est déjà moins évident. Je peux aussi t'embrasser même si... mais passons, tu es un peu petite. Sauf que pour les bébés, deux filles ensemble, ça ne marche pas, tu es assez grande pour comprendre ça, il me semble.

— Bien oui, je le sais. Ça prend un papa et une maman. À cause des supermatozoïdes... Mais, ça fait rien. T'as qu'à demander à ton Charlie de t'en donner, des supermatozoïdes. C'est facile, y a qu'à faire l'amour!

Ce qu'elle peut être rigolote, ma petite Mélanie. Des supermatozoïdes! Des Superman microscopiques, quoi! C'est vrai qu'il y a une certaine ressemblance. Grosses épaules rondes et petits pieds qui flottent, même forme. Habit lisse et luisant, même texture. Et puis *flyer* tête baissée vers la veuve et l'orphelin, même vitesse, même but!

Trêve de plaisanteries, elle a peut-être un peu raison. Charles-Yves a promis de m'aider? Il est temps de le mettre à contribution.

* * *

— Charlie, si t'écrivais un conte à propos d'une pauvre jeune vierge mariée à un horrible vieux tyran, tu le finirais comment?

— Tu me prends pour qui? Je n'écrirais jamais un truc pareil! C'est pas un conte, c'est une histoire d'horreur, ton affaire.

Bravo! Quelle aide! Quelle imagination! Merci. Il pourrait quand même se forcer un peu les méninges. D'accord, cette histoire-là m'obsède un peu trop. Mais raison de plus pour m'aider à la régler, quoi!

— Bon. Je sais pas moi. T'as qu'à le faire crever, ton affreux méchant. Envoie un valeureux chevalier secourir ta pauvre orpheline, il sera pas le premier. Ou sors-la toute seule du pétrin, pour faire changement. Elle pourrait empoisonner son horrible mari, ou l'étouffer sous son oreiller. Elle pourrait se sauver, se transformer en sorcière ou en citrouille. Ou elle pourrait être sauvée *in extremis* par une catastrophe nucléaire.

— Ça va. N'en jetez plus. Je promets de ne plus jamais me moquer de vous, messire!

C'est clair, le problème n'est pas de savoir ce qu'Infante peut faire ou ne pas faire. Le problème, c'est moi. Ou plutôt mon esprit. Un esprit ne peut pas tuer quelqu'un, ni le sauver, ni provoquer de catastrophe anachronique. Mais qu'est-ce qu'un esprit peut faire, à part se balader? C'est ça le problème: je n'en sais absolument rien!

6

Hallucinations

— Couche-toi avec moi Charlie, je reviens tout de suite. Profite pas trop de la situation, là! Mais un peu quand même... Ça va être agréable de rentrer dans mon corps sous tes caresses. Je vais revenir vite, vite! Prêt? «Mourlour...»

Oh! qu'il est vilain ce château! La dernière fois, je n'ai vu qu'une chambre. Elle n'était pas vraiment terrible, d'accord. C'était quand même celle du roi. On pouvait se douter qu'il y avait pire, mais à ce point-là, je n'aurais pas cru. C'est que perché sur la tourelle du donjon, on ne peut rien manquer.

En fait, le château lui-même n'est pas si mal. Sale, couvert de boue, de suie, de mousse, de fientes d'oiseaux, sans compter les éclaboussures de sang séché ici et là. Mais ce n'est rien.

Tout autour, un petit ruisseau fait office d'égout, de poubelle, de boîte de récupération et de compost tout à la fois. Le tri des déchets n'était visiblement pas en vogue à l'époque. Mais ça n'empêchait pas d'être hautement écolo avant la mode. Cette eau vaseuse déborde d'immondices grouillantes. À travers la merde, la pourriture, les vestiges d'armures rouillées et les dégueulasseries en tous genres, une armée de rats s'affairent à déchiqueter des morceaux de corps humains et autres restants de table en état de charogne avancée. OUARCHE! Dix mille fois ouarche. Parfait exemple de chaîne écologique, du cycle de la vie, des lois de la nature. Absolument dégueu-dégoûtant quand même.

Mais c'est encore presque rien. Le pire, c'est le monde. Le vrai monde vivant. Qui essaie de l'être, en tout cas. Que des chevaliers se soient fait tuer dans une guerre sanglante, et qu'ils servent maintenant de casse-croûte aux rats, passe encore. C'est... de la récupération, disons.

Mais toute une population de femmes, d'enfants, de rares hommes, jeunes et vieux, surtout très jeunes et très vieux, dans un état aussi lamentable, c'est franchement inhumain. Je passe sur la saleté et la puanteur repoussantes des corps et des vêtements. Après un long hiver de guerre et de famine, je peux comprendre qu'on ait depuis longtemps mangé les savonnettes en guise de petit déjeuner. Mais les bébés aux lèvres bleues, à la peau translucide, au corps squelettique... Les enfants aux bras cassés, aux jambes coupées, aux plaies couvertes de pus verdâtre et de grosses mouches bien nourries... Les vieilles aux dents noires, aux crânes chauves, aux membres déformés, aux yeux aveugles...

Et cette sous-humanité à moitié morte qui s'agite désespérément, boite, rampe, se traîne, s'agglutine au somptueux passage des chevaliers et des carrosses royaux. Ils crient, mais pas de révolte. Ils supplient leur souverain de leur laisser quelques miettes, quelques pourritures indignes de sa grande majesté!

Et ces nobles et virils seigneurs, sur leurs chevaux richement parés, qui gardent la tête haute, le regard froid fixé sur l'horizon. Comme des idiots, ils se hâtent fièrement vers le champ de bataille, le drapeau au poing, en espérant mourir pour leur roi. Leurs montures bousculent, piétinent même, les petits enfants imprudents, les vieux trop lents. Elles martèlent les pavés de la forteresse dans un tonnerre de sabots couvrant les cris et les gémissements de douleur.

Enfin, la troupe franchit le pont-levis et s'éloigne, irréelle, dans un nuage de poussière rougi par le soleil couchant, comme une traînée de sang. L'enfer! Il n'y a pas d'autre mot. C'est l'enfer! Tout le contraire du moyen âge fleur bleue, rose bonbon et guimauve mauve version Disney, quoi!

Soudain, la foule morbide se tait. Tous les yeux encore valides se tournent vers la tour principale. Tout en haut, une petite porte s'ouvre, laissant apparaître... la reine, mon Infante! Peut-être est-elle sauvée? Si seulement son ignoble roi de mari pouvait mourir à la guerre... En chiant dans ses culottes bien sûr! Tout le monde sait que les rois et autres dictateurs sont bien plus courageux pour envoyer les autres à la mort que pour l'affronter eux-mêmes. En tout cas, qu'il meure ou pas, ça lui fait au moins de petites vacances à Infante. Et ça nous laisse le temps de trouver une solution.

Mais qu'est-ce qu'elle joue bien son rôle, c'est ahurissant! Quelle dignité dans la douleur contenue. Quel masque d'amour désespéré. À sa place, il me semble que je ne pourrais pas m'empêcher de danser de joie. En tout cas, je serais sûrement incapable de verser une seule larme en regardant partir mon vieux satyre de mari. Ses joues dégoulinent!

—Brumehaut, mon sauveur, que Dieu vous garde!

Elle murmure même son nom avec ferveur, l'appelle son sauveur! C'est un peu gros. Mais c'est là que ça mène la cruauté mentale! À qui joue-t-elle la comédie? Il est parti. Qu'elle se réveille, qu'elle arrête de trembler. Il ne la voit plus, ne l'entend plus, ne pense sûrement plus du tout à elle. Non mais, regardez-le rebondir comme un gros jello *sur sa selle déjà tout empoussiérée. Est-ce qu'il se soucie de son image de mari aimant, lui? Est-ce qu'il lui a fait le moindre signe d'adieu? Est-ce qu'il s'est retourné une seule fois? Mais non, il laisse ça à son bras droit. Comme les patrons qui demandent à leur secrétaire d'acheter un cadeau pour leur femme...*

AHHHH! C'est quoi ça? Là, le rayon laser ultraviolet qui lui sort du corps, au «bras droit»! Pour Walt Disney, je ne me suis pas trompée, c'est certain, mais est-ce que je serais tombée dans un film de Spielberg, par hasard?

—Mon Dieu, j'ai peur, j'aime tant Brumehaut! Seigneur miséricordieux, ayez pitié de lui, ayez pitié de nous!

—Nouria, ma gente dame si fragile, n'ayez crainte. Mon cœur avec vous demeure, mais mon bras aura raison de Romulf!

Je pige! Je me suis trompée de tête. Le roi, ce n'est pas Brumehaut, c'est Romulf. Rat-mufle, ça lui va comme un gant! Et Brumehaut, c'est le beau chevalier qui le suit. Grand, mince, musclé, très droit dans son armure étincelante, les cheveux blonds flottant au vent de la cavalcade, les traits nobles et jeunes déjà marqués par les joutes viriles, le regard vibrant de passion. Le type même du prince charmant, quoi!

Ces deux-là sont amoureux, ça crève les yeux. Tellement amoureux que leurs esprits se rejoignent! Du moins son esprit à lui rejoint celui de sa belle. J'aurais dû y penser plus tôt. Le rayon laser, c'est le fil de l'esprit de Brumehaut! C'est drôle, je n'aurais jamais cru en voir un. Un autre que le mien, je veux dire. Pourtant, je ne suis sûrement pas la seule au monde à faire des voyages astraux. Mais de là à se rencontrer... C'est pour ça que je n'ai pas compris tout de suite.

Et puis, mon esprit n'est pas tout à fait pareil, il me semble, moins tendu, moins brillant, moins... perçant. Lui, il a pénétré l'esprit de Nouria, il communique directement avec elle. Et au galop, à part ça! Fascinant! Il faudrait que je lui demande son truc, que je...

Oh! Oh! Je viens de perdre une occasion de me taire. C'est... c'est moi qu'il vise maintenant! Enfin, je veux dire mon esprit. Qu'est-ce qui va m'arriver? Est-ce qu'il peut s'emparer de mon esprit, l'envoûter, l'empêcher de revenir dans mon corps? Je ne sais pas moi! J'ai peur! Charlie! Aide-moi, glisse ta main sous mon chandail, j'arrive!

7

Cherchez l'erreur

— C'est exactement pareil. Tu continues tes voyages pour sauver ta petite reine du moyen âge, je fais la même chose pour la même raison. Où est la différence? Le moyen de transport? C'est moi que ça regarde. Il n'y a que le résultat de l'hallucination qui compte. Tu veux que je t'aide, oui ou merde?

Merde! Merde et remerde! Si c'est ça son aide... Un nouveau prétexte pour sauter encore une fois sur sa *dope,* rien d'autre! Dire qu'il voulait même faire un pacte. Des promesses, rien que des promesses de politicien!

Et puis son histoire d'hallucinations... Ça ou me traiter de schizo, c'est du pareil au même! Qu'il gobe toutes les cochonneries qu'il peut, qu'il hallucine tant qu'il veut, ça ne lui fera pas un voyage astral. Mon esprit à moi, il n'hallucine pas, il décolle, ce n'est absolument pas pareil. Mais bon, peut-être que tout le monde ne peut pas faire ça cent pour cent naturellement...

— O.K., Charlie. On va y aller étape par étape. Moi, je fais tout mon possible pour me dépatouiller avec Brumehaut, Romulf et Nouria. Toi, de ton côté, tu te mets sérieusement au yoga tantrique, à la relaxation transcendantale, à la méditation zen. Bref, tu fais ce qu'il faut pour me suivre dans l'astral. Si après tout ça, ça ne marche toujours pas, tu pourras essayer comme tu penses. Mais si on réussit à sauver Infante avant, tu laisses tomber. C'est correct, non?

Il a beau m'assurer qu'il est d'accord, promettre, jurer même, je n'arrive pas tout à fait à le croire. On est là tous les deux, debout, face à face, les yeux dans les yeux. On s'affronte? On se mesure, disons. Est-ce qu'il me prend au sérieux? Est-ce que je lui fais confiance?

Il reste comme un drôle de sourire accroché à ses lèvres, une petite lueur provocante au fond de ses yeux. Mais ça lui va bien cet air de défi, cet air chevalier-sans-peur-et-sans-reproche. Il est si beau. Je me sens couler. Et il le sent aussi. Et il en profite, le salaud...

Il tend le bras vers moi. Comme un aimant. Effleure ma joue, doucement, du revers de la main. Chaleur. Descend dans mon cou, sur ma gorge, en faisant marcher ses doigts. Courant électrique. Déboutonne lentement ma chemise, toujours à bout de bras. Humidité. S'y faufile, s'y aventure, s'y perd. Les doigts, les yeux aussi. Tremblement. Je voudrais que le temps s'arrête. Que ça dure toujours. Le contact de ses mains, la caresse de ses yeux. C'est si bon... Je voudrais m'évanouir de plaisir! Soudain, il m'attire tout contre lui, plante ses yeux dans les miens.

— C'est fou ce que je t'aime!

Et pfft! Plus personne, plus rien qu'un souvenir qui me brûle la peau. Il est parti! Je reste plantée là, encore tout étourdie de ses caresses, debout, au milieu de la chambre, la chemise entrouverte. C'est au moins une preuve que je n'ai pas halluciné. Non mais, qu'est-ce qui lui a pris? Il me fait sa première déclaration d'amour. Il me fait presque l'amour. Et il disparaît!

Je devrais courir après lui, lui crier que je l'aime aussi. Comme dans les films. Il se retournerait au milieu de la foule. Le temps s'arrêterait. On se sourirait tendrement, en gros plan. Puis tout à coup, exactement en même temps, on courrait comme des fous, en tendant les bras, l'un vers l'autre, au ralenti. Et on se sauterait dessus en tournoyant, en riant, en s'embrassant passionnément. Et la caméra tournerait, tournerait de plus en plus vite. Un vrai beau *happy end* comme je les aime!

Mais je reste là. Sans bouger, presque sans respirer. Je veux garder l'empreinte de ses caresses. Je ferme les yeux, je sens encore son regard sur moi, la trace de ses mains qui s'efface lentement de ma peau. Le charme s'évanouit. Je rattache ma chemise en tremblant.

— Je t'aime, Charles-Yves...

* * *

Maudit yoga! Maudite relaxation! Maudits voyages astraux! Je vais poursuivre le prof de gym en justice. C'est de sa faute, tout ça. Ah! c'était bien drôle au début. Mais si j'avais su, si j'avais seulement soupçonné le quart de la moitié de ce qui me pendait au bout du nez, je n'aurais jamais recommencé. Jamais. Je le jure. J'aurais réintégré mon corps en vitesse et j'aurais tout oublié tout de suite. Je me serais même, je ne sais pas moi, cassé une jambe ou n'importe quoi pour éviter les cours de gymnastique.

D'accord, je menais une petite vie plate. Je n'avais pas de *chum,* pas vraiment d'amies, pas de but dans la vie. Je m'ennuyais ferme, c'est vrai. Mais c'était la vie! Maintenant ma tête explose. De questions sans réponses. De doutes lancinants. De peurs incontrôlables. De problèmes insolubles. Et du rire inconscient de Charles-Yves Bienvenue!

Là, je ne parle pas de mon étrange rencontre avec un esprit du moyen âge. Ça, c'est de la petite bière. Je parle d'un voyage dans le futur. Pas de mon voyage de chagrin d'amour dans la trentaine. Un autre voyage, dans un petit futur tout proche. Terriblement proche. Demain peut-être. Je parle de mes angoisses existentielles à intervenir dans le cours du destin. Je parle du destin de Charles-Yves qui tient maintenant entre mes mains!

Et Charles-Yves qui rigole! C'est

bien ça le pire: il refuse de me croire. Il dit que j'hallucine encore...

— C'est rien qu'un *bad trip*, je connais ça.

— Mais je t'ai vu Charlie, tu étais mort! Oui, MORT! *Overdose*! Pas besoin d'être médecin pour savoir ça. Un corps vidé de son esprit, c'est un mort!

— Pour toi, ça s'appelle un voyage astral, pour moi, c'est la mort! C'est quoi le rapport?

J'ai beau lui expliquer qu'aussi loin que l'esprit voyage, il reste toujours relié au corps, il ne veut rien savoir. Il soutient que je n'en connais pas assez pour affirmer des choses pareilles aussi catégoriquement. Il s'insurge et refuse mes menaces d'*overdose* après la promesse et la déclaration d'amour si intense qu'il m'a faites. Il se moque même.

— Sais-tu que t'es pas mal vite en affaires! Un peu trop même. Tu ferais mieux d'attendre qu'on soit mariés et que je sois riche et célèbre avant de viser mon héritage et mon assurance-vie. Pour l'instant, je vaux plus cher vivant que mort! Même si je suis toujours cassé.

Bon d'accord, les esprits peuvent se manifester de différentes manières, pas toujours évidentes. Re-d'accord, je n'ai pas compris tout de suite quand j'ai vu l'esprit laser de Brumehaut, le chevalier du moyen âge. Mais peu importe la forme ou la couleur, si l'esprit de Charles-Yves avait traîné dans les parages de ce voyage-là, j'aurais vu quelque chose. Il n'y avait rien, absolument rien qu'une coquille vide, un... cadavre!

—NOOOON!

Je suis revenue en hurlant, comme d'un cauchemar. Depuis, son image me poursuit comme un fantôme. Son corps chaud et souple: dur et froid comme la pierre. Sa peau d'orange: grise, délavée. Ses cheveux bouclés: collés aux tempes. Son visage doux et piquant: baigné de larmes, crispé de douleur. Ses yeux surtout, ses beaux yeux de mer, vivants et clairs: sombrés dans le néant. Un naufragé!

— Voyons donc, Annie, je suis pas assez débile pour m'envoyer en *overdose* après-demain, ni la semaine prochaine, ni jamais d'ailleurs. La *coke*, je l'ai même pas prise, je l'ai revendue. À perte. Je vais quand même pas risquer de me tuer juste pour écœurer mes vieux. Tout ce que ton petit voyage macabre prouve, peut-être, c'est que mon esprit va bientôt réussir sa sortie. En admettant que tes voyages soient plus que des hallucinations. Mais j'en suis de moins en moins certain. Excuse-moi, mais c'est comme ça. Avoue qu'il y a quand même de quoi, disons, douter un peu. Prends-le pas mal, je te traite pas de folle. Tu dis toi-même que ton esprit fait dans le cinéma...

Lui, il rigole; moi, je panique. Il n'a pas vu, lui, son corps de zombi, branché comme un Frankenstein. Il n'a pas entendu les bip-bip hallucinants de la quincaillerie médicale. Il n'a pas senti l'odeur mal de cœur de l'hôpital. Moi oui. Il faut que je fasse quelque chose.

Absolument. Envers et contre lui s'il le faut. Et cette fois-ci, je ne peux pas espérer l'intervention miraculeuse d'un beau chevalier au regard perçant.

Pour Nouria, j'étais choquée, je voulais la sauver. Je devrais encore l'aider, mais pour l'instant j'ai d'autres priorités. D'ailleurs, elle n'est plus toute seule. J'aurais un peu l'impression d'être de trop. Je crois que monsieur laser se méfie de moi. Et puis, que Son Altesse Royale la princesse Nouria d'Alhambra Kadabra me pardonne, mais je ne suis pas responsable de son destin. Je ne vais quand même pas porter le poids de toutes les écœuranteries de l'histoire sur mes épaules!

Pour Charles-Yves, c'est bien plus grave. Le pire, c'est que je suis un peu responsable de ce qui va lui arriver. Je n'aurais jamais dû lui parler de mes voyages. J'aurais dû tout arrêter dès que je l'ai rencontré, laisser tomber Nouria, signer son pacte avec mon sang. Tout pour le protéger. N'importe quoi, pourvu qu'il arrête sa *dope*. Même devenir une petite fille modèle pour plaire à ses parents.

Au lieu de ça, je lui demande de m'aider. Alors ça le pousse à continuer, à chercher des trucs plus forts, des hallucinogènes puissants même. J'ai beau faire la morale sur les drogues dures et les drogues douces comme un prof de FPS, en fait c'est comme si je le poussais au suicide! Sans le vouloir, je pousse mon *chum* vers la mort! Non, pas mon *chum,* l'homme de ma vie! Je l'aime! C'est bien plus qu'une «petite folie de jeunesse». On est ensemble pour au moins vingt ans! Je nous ai vus...

Hein? Il y a quelque chose qui ne marche pas là. Si Charles-Yves meurt d'une journée à l'autre, je ne peux pas être encore avec lui dans vingt ans. Si on est encore ensemble dans vingt ans, il ne peut pas mourir maintenant. Ouf! Sauvé!

Mais est-ce que c'était bien lui? En

fait, il n'était pas clair du tout, ce voyage dans la trentaine. Je ne l'ai pas vu, le Charles qui me faisait pleurer comme une fontaine. Si c'est un autre gars, mon Charlie n'est pas mieux que mort. Mais si c'est lui, il ne peut pas mourir.

Mon esprit se trompe sûrement quelque part, mais où? Il faut que ce soit maintenant! Toutes les peines d'amour, toutes les chicanes de ménage du monde, jusqu'à la fin des temps, plutôt que sa mort sur ma conscience! Je dois vérifier. C'est une question de vie ou de mort. Vite.

— Écoute Charlie. Je t'ai pas tout dit. Y a peut-être une chance que t'aies raison. J'ai fait un autre voyage. Je t'en ai jamais parlé parce que... Pas d'importance, je t'expliquerai plus tard. C'était un voyage dans le futur, dans une vingtaine d'années. Je nous ai vus. Enfin, je pense que c'était nous. Mais j'ai pu me tromper. Il faut que je voie loin, le plus loin possible dans le temps. Tu comprends? Tu m'attends?

Je t'aime. Je veux pas te perdre. Je pense à toi très fort. «Mourlour...»

Non! Pas encore cette maudite chambre d'hôpital jaune pipi. Pas encore mon Charles-Yves prisonnier des tentacules de ces satanées machines. Je ne peux pas m'arrêter ici. C'est l'autre voyage que je dois refaire, plus loin, plus tard. Il faut que je nous revoie. Il faut que je le voie, lui. Charlie! Ça ne se peut pas! Je ne veux pas! Ce n'est pas lui, ça ne peut pas être lui, il ne peut pas mourir!

Sa peau d'orange, sa joue douce et piquante, son odeur de noix, son cœur comme un métronome. Son cœur? Son cœur bat! Il est vivant! Charlie! Mon amour, réveille-toi!

—Mmmm?... Quoi?...

Roulé en boule sur le fauteuil, quelqu'un lève brusquement la tête, comme réveillé en sursaut. Ouf! C'est à moi cette gueule de vampire? Les yeux rouges, le visage presque gris, le nez morveux, on dirait que je n'ai pas dormi depuis des nuits. Tout à fait possible, vu la situation. Je roule des yeux alentour avec l'air de me demander dans quel cauchemar je suis tombée. Je cherche une présence. Il n'y a que lui.

— Charlie? Tu m'as parlé? Charlie? Tu m'entends? Écoute-moi, accroche-toi. Il faut que tu t'en sortes. Je n'en peux plus. Je... j'ai refait le voyage dans la trentaine. Je t'écrivais une lettre: à mon Charles qui ne sera jamais père... Pourquoi, Charlie? Tu ne peux pas mourir avant d'avoir des enfants, avant même qu'on fasse l'amour ensemble! Dis-moi que je me trompe. Réponds-moi, Charlie. Rassure-moi. Je n'ai pas tout compris... Je suis revenue si vite, j'ai cru que tu m'appelais... J'ai entendu une voix...

Mon corps se tend vers lui comme un aimant. Mes mains portent ses mains, lourdes, abandonnées, une sous ma chemise, l'autre à mes lèvres. Ça doit faire des jours et des nuits qu'il ne m'a pas touchée... Ses doigts sur ma poitrine, sur ma bouche, c'est plus fort que les meilleures caresses, plus poignant que la passion la plus folle. Mes larmes mouillent sa paume. Mes yeux s'essuient sur ses doigts emprisonnés. Aussi loin qu'il soit, son corps apaise mon corps. Enfin, je m'endors. Et mon esprit repart.

Évidemment, il conçoit à peine mes voyages les plus banals. Comment voulez-vous qu'il pige un truc pareil?

— La crise de couple, non, je ne sais toujours pas vraiment à quoi elle rime. Une histoire de bébé je crois... Pas rassurant en tout cas. Tu ne comprends donc rien. Je t'ai retrouvé hospitalisé, branché de partout, complètement dans les vapes. Vivant d'accord, mais pour combien de temps?

Vous aussi, il faut vous faire un dessin? C'est pourtant simple, je me suis vue moi-même dans quelque temps, de retour d'un voyage où je me suis vue moi-même dans la trentaine.

Tout à fait simple, non? Et, pour simplifier encore un peu, je me suis entendue moi-même me parler à moi-même, ou quelque chose du genre. Plus simple que ça, tu meurs! Façon de parler, bien sûr. J'avoue que ça me dépasse un peu, moi aussi. Un voyage dans un voyage, un peu comme un film dans un film, quoi!

N'empêche, si j'ai bien compris, Charles-Yves ne mourra pas. Il sera seulement dans le coma. Et il en sortira. Un jour. Et on s'aimera. Au moins jusqu'à trente ans. Et on n'aura pas d'enfants.

Au fait, cette histoire de bébé, qu'est-ce que c'est? Tous les scénarios sont possibles. Un avortement? Le genre «c'est moi ou le bébé, choisis». Un problème de stérilité? Le genre «puisque tu ne peux pas me donner d'enfant, je vais m'en faire fabriquer un ailleurs». Peut-être une insémination artificielle? J'ai vu ça dans le journal: une femme qui voulait recevoir le sperme congelé de son mari après sa mort. Alors, il serait vraiment mort? Mais il n'a pas de sperme en banque, que je sache! Je déraille.

—Oh! Charlie, j'ai peur. Ça me dépasse, tout ça. Prends-moi. Serre-moi fort dans tes bras.

8

C'est à notre tour!

Quand on est en amour, les plus petites choses prennent un sens. Je m'habille et je pense à lui, je choisis ce qu'il aime, ce qui l'attire et... ce qui se détache d'une main, si vous voyez ce que je veux dire! Ça devient un plaisir, ça prend un nouveau sens. Toute ma vie prend un nouveau sens. Ça sert à ça, l'amour.

Bien plus qu'à faire des bébés. Arrivez en ville. Depuis le temps qu'on peut faire l'amour sans faire d'enfants... Il y en a même des pressés qui sont rendus à faire des enfants sans faire l'amour! Savent pas ce qu'ils manquent! Honnêtement, je ne le sais pas encore tout à fait non plus. Même si j'ai déjà, disons, un petit avant-goût. Et je sens que je vais bientôt y déguster pour de bon...

Cette fois-ci, ça ne peut pas rater, c'est le soir parfait, tout y est. Les parents de Charlie en voyage, on a la paix de ce côté. L'appartement de Maryse pour nous tout seuls, toute la fin de semaine. Le petit souper aux chandelles. Menu gastronomique s'il vous plaît: choucroute, boudin blanc, saucisses merguez et foie de veau grillé. Le foie, je n'en raffole pas, mais il paraît que c'est aphrodisiaque... Et une dégustation de bières spéciales avec ça, cadeau de Lola. Elle est correcte, Lola. Et elle a toujours des bonnes idées, des trucs qui sortent de l'ordinaire, qui font rêver. «Belle Gueule», le désir... «Mort Subite aux framboises», la passion. «Blanche de Bruges», le mariage! Pas mal plus romantique qu'une caisse de «Molson Dry» ou de «Bud coulée dans le rock», non?

Six mois ensemble, c'est comme ça que ça se fête! Même la pleine lune est avec nous. Et ça, ce n'est pas seulement un paysage romantique. Si mes calculs sont bons, ça veut dire que je vais être menstruée bientôt, bientôt... Un petit voyage pour vérifier? Ça me changerait de mes fantômes habituels.

Je ne voyage plus que pour retourner dans le futur, dans la trentaine. C'est que je ne suis toujours pas vraiment sûre pour Charles-Yves. Je voudrais tellement comprendre, le voir, être enfin rassurée. Mais je ne me rends plus jusqu'à la trentaine.

À chaque voyage, j'aboutis dans la même chambre d'hôpital. Je vois Charles-Yves tout branché, vivant mais branché. Un robot parmi les robots. La plupart du temps, je suis là. Souvent, ses parents aussi. Parfois les miens.

J'ai eu droit à quelques scènes pénibles. Sa mère qui m'accuse, le visage défait, l'œil en mitraillette. Je voudrais la détester, me défouler sur elle moi aussi, lui crier qu'elle est bien plus coupable que moi. Mais elle me fait pitié.

Mes parents qui tentent de me raisonner et que je n'arrive pas à écouter. Ça me fait un drôle de pincement au cœur de les voir échanger des chuchotements, des coups d'œil complices, autour de moi, comme autrefois.

Et puis moi, qui voyage les mains crispées sur celles de Charles-Yves, comme aux guides d'un cheval à l'épouvante. Lui qui panique soudain, des S.O.S. au fond des yeux. Don Quichotte contre ses moulins. Voyage-t-il aussi?

Je n'ai rien appris de plus. Tout ce que je sais, c'est que Charles-Yves va passer un mauvais quart d'heure. Quand? J'en ai une vague idée. Pourquoi? Je m'en doute un peu. Mais comment ça va finir, ça, je ne le sais toujours pas. Je ne peux que m'accrocher à un mirage du futur impossible à retrouver. Alors je m'accroche, je m'agrippe, je me cramponne. Et je remets ça, malgré les ratés.

Aujourd'hui, trêve. C'est notre fête et je ne veux pas la gâcher avec mes angoisses astrales. Je l'aime, il m'aime, ça fait six mois que ça dure et on va faire l'amour pour vrai, tout au complet, en prenant bien notre temps pour savourer chaque caresse. Il n'y a que ça qui compte. J'oublie tout le reste.

Alors «mour...», un petit voyage, disons contraceptif, et je suis de retour, «lour».

Non! Pas question de remettre l'esprit dans cette horrible chambre d'hôpital aujourd'hui. Allez, un peu de volonté. Ça se contrôle un esprit. Ouf! je repars. Plus loin? Oui, on dirait bien que je continue vers le futur. Vers ma trentaine peut-être. Merde! Ce n'est pas vraiment le moment. Mais depuis le temps que j'essaie, est-ce que je peux me permettre de refuser?

Ah! non, je recule. Ça recule. De plus en plus vite. Qu'est-ce qui se passe? On dirait que ma machine à voyager dans le temps se déglingue, que mon esprit capote! J'ai peur. Arrêtez, je veux descendre! Je veux revenir dans mon corps, dans ma vie, ma vraie vie ordinaire, les deux pieds sur terre. Je ne veux pas me perdre dans le temps!

Il faut que je me concentre, que je me raccroche au réel, au concret, à ma chambre, à mon linge, à la bouffe, n'importe quoi. Charlie, aide-moi!

Oui. Je crois que ça marche. Je sens une énergie... Quelque chose m'attrape, me retient, m'enveloppe, m'aspire! Est-ce que je rentre? Ah! ce rayon!

—Chevalier Brumehaut de Ville Anvers, pour vous servir, céleste damoiselle. Pardonnez mon intrusion et acceptez d'entendre ma requête, je vous prie. Il en va de la vie et de l'honneur de votre protégée.

Ouf! Je ne sais pas trop où je suis, ni ce qu'il me veut, celui-là. Mais c'est toujours mieux que de se perdre dans les frontières de l'espace-temps.

Je les avais pratiquement oubliés ces deux-là. Nouria d'Alhambra Kadabra, c'était presque de l'histoire ancienne. Enfin, je veux dire pour moi. Parce qu'objectivement bien sûr, le moyen âge, ça ne peut être que ça.

Je l'avais oubliée un peu trop vite à son goût, apparemment. Elle m'a poursuivie jusqu'ici. Par chevalier interposé, s'entend. C'est son esprit à lui qui voyage. Drôlement bien à part ça. Quelle maîtrise technique! Moi, je n'arrive même pas à retrouver un petit futur de rien du tout, dans vingt, vingt-cinq ans tout au plus. Lui, il me rejoint à des siècles de distance et il m'attrape tout juste au moment où mon esprit erre bizarrement dans le temps.

Paraît que c'est le moment critique, le seul moment possible, où les esprits sont en déplacement, donc visibles. Visibles entre eux s'entend, pas pour le commun des mortels. Pourtant, en général, tout se passe en une fraction de seconde à peine. La vitesse de déplacement d'un esprit est égale à la vitesse de l'écho, multipliée par celle de la foudre. Qu'il dit. Moi je n'en sais rien. Et il a l'air d'en connaître un bout sur le sujet. Inutile de le contredire. C'est son maître, une espèce de philosophe astro-physicien illuminé, qui lui a enseigné l'art du voyage céleste, comme il dit. C'est joli, non? Plus poétique que voyage astral, qui fait un peu guerre des étoiles.

Mais vous ne savez pas la meilleure: il me prend pour son ange gardien! Pas le sien, il soutient qu'il en est un lui-même, incarné pour servir les desseins de Dieu. Rien que ça! Moi, insigne honneur, je serais l'ange gardien de Son Altesse Royale la princesse Nouria d'Alhambra Kadabra. Ou l'ange gardienne. Puisque les anges n'ont, paraît-il, pas de sexe, on devrait logiquement pouvoir dire les deux. Gardien ou gardienne, bref, Nouria a senti une présence, une protection, sûrement divine, en face de Romulf. Brumehaut a cru que c'était sa présence à lui. Jusqu'à ce que son esprit laser détecte la mienne.

Maintenant, il me demande respectueusement de retourner veiller sur elle. Fort respectueusement. Trop même. J'ai la désagréable impression que ses manières chevaleresques cachent un jugement sévère. À ses yeux, je suis sûrement une espèce de déserteure de l'armée des anges. Ou «teuse», ou «trice», je ne sais pas, déserteur au féminin, ça n'existe pas. À moins qu'il me considère comme une paresseuse qui se paye des vacances sous prétexte que le pire danger, Romulf évidemment, est écarté pour un bout de temps. Ou pire, il pense que je les laisse se débrouiller tout seuls, comme une lâcheuse. Lâche, oui, j'en suis sûre, il me trouve lâche. Déserter, ça implique un certain sens de l'honneur. Paresser, c'est presque une philosophie de vie. Mais lâcher, c'est minable, rien de plus.

Et il n'a pas tort. C'est vrai, je l'avoue, j'ai lâché Nouria. Mais j'ai quand même une excuse: je l'ai lâchée dans ses bras à lui. Des bras bien assez forts pour la défendre. Qu'est-ce qu'il veut que je fasse de plus? Ce n'est quand même pas moi qui vais aller provoquer ce cher Romulf en duel! C'est lui le chevalier, c'est sa job, *pas la mienne.*

—C'est de moi que vous devez la protéger! Soupçonnez seulement, gente dame, dans quels tourments la vision de votre corps céleste m'a jeté. Si je ne suis le protecteur spirituel de cette frêle infante, je ne puis qu'être sa perte. J'ai osé lever les yeux sur la chaste épouse de mon roi. J'ai osé la détourner de sa voie de piété et de fidélité. J'ai désiré en faire une reine adultère, moi, chevalier régicide! Les desseins de Dieu sont impénétrables et ô combien lourds à porter! Je ne puis me résoudre à laisser ce terrible poids sur ses tendres épaules. Je combattrai Romulf jusqu'à la mort, puisque c'est là mon destin. Et

je me ferai champion de sa jeune veuve éplorée. Vous devez l'empêcher de céder à ma cour, elle n'est déjà que trop tentée. Je tremble à la pensée que son âme virginale ne soit à jamais entachée par la flamme de mon regard. Dieu la protège. Intercédez en sa faveur, plaidez son innocence. Que je sois seul condamné aux foudres de l'enfer.

C'est pas beau ça? Un grand amour impossible, romantique à souhait, chevaleresque à mort! Nouria d'Alhambra Kadabra et Brumehaut de Ville Anvers. Je ne comprends pas que l'histoire n'ait pas gravé leurs noms en lettres de sang et d'or aux côtés de Tristan et Iseult, Guenièvre et Lancelot et autres Roméo et Juliette. C'est très impressionnant.

Mais ça ne me donne aucune envie d'intervenir, bien au contraire. Pour être vraiment romantique, leur histoire doit finir par un baiser de conte de fées et ce qu'on devine après quand on n'a plus cinq ans. Moi, je suis pour les happy ends. *Ils furent heureux jusqu'à la fin des temps et eurent de nombreux enfants, quoi! Pas les foudres de l'enfer, comme il dit.*

C'est pourtant simple. Il l'aime, elle l'aime, leur seul obstacle est le roi. S'il disparaît, rien ne les empêche de tomber dans les bras l'un de l'autre. D'accord, ça demande un meurtre. Mais Brumehaut n'a pas l'air de s'en faire avec ça. S'il n'a pas de scrupules face à la mort, moi je n'en ai pas face à l'amour. Surtout maintenant, avec Charlie qui s'en vient pour une soirée d'amoureux dans les règles de l'art... Les anges gardiennes pieuses, prudes et asexuées, très peu pour moi, merci. Je préfère un rôle d'entremetteuse, genre Cupidon ou marraine de Cendrillon. Ange ou fée, c'est la même chose en chrétien ou en païen, non?

Il va falloir jouer serré. Je ne connais pas exactement les pouvoirs spirituels du sieur Brumehaut, mais ils sont probablement plus étendus que je ne peux même l'imaginer. Difficile de lui mentir si son esprit laser lit dans ma tête comme sur un disque compact. Là, d'esprit à esprit, je ne crois pas qu'il y ait trop de danger. Mais s'il me voit réintégrer mon corps, justement ce soir... S'il me voit avec Charlie, peau contre peau, bouche contre bouche... Je ne serai plus, à ses yeux, qu'une ange déchue. Alors, gare à sa colère et à son désespoir! Je ne tiens pas à finir transpercée d'un coup d'épée comme ce cher Romulf. Mieux vaut détromper Brumehaut tout de suite. Lui expliquer que je ne suis ni un ange ni un pur esprit, seulement une fille qui aime les voyages, l'amour et les contes de fées.

—Vous êtes une prêtresse des anciennes croyances druidiques, alors! Comment est-ce possible? N'ai-je point voyagé vers l'avenir? Qu'importe. Mon maître l'a prédit, au péril de sa vie: le règne de Dieu sur la terre n'est pas éternel comme aux cieux. Il assure que vos déesses préfèrent les liens de l'amour à ceux du mariage. C'est pour cela que vous devinez les terribles

sentiments qui consument mon cœur. Moi qui croyais servir Dieu, serais-je donc l'instrument de sa perte? Renierais-je ma foi pour l'amour de Nouria d'Alhambra Kadabra? Sans doute... Alors soit, je m'en remets à votre grâce, noble prêtresse.

—Brumehaut! Brumehaut, c'est vous? Oh! Charlie! Mais Charlie, où tu vas? Attends, Charlie!

Eh! Merde! Encore une occasion de me taire qui vient de me filer sous le nez. Non mais, par quel esprit pervers ai-je pu croire un seul instant qu'un chevalier aussi pur et tourmenté que Brumehaut de Ville Anvers avait glissé sa main sous mon chandail?

Il n'y a que Charlie qui sache ce geste-là. Il n'y a que de Charlie que j'aime ce geste-là. C'est plus qu'une caresse, c'est notre contact, notre code intime depuis le premier soir. Et je viens de le foutre en l'air par je ne sais quel fantasme débile! Murmurer le nom d'un autre juste au moment où sa chaleur sur ma peau me rappelle doucement à lui. Lui qui se méfie déjà de mes voyages, il va croire que j'en profite pour le tromper, au moins en esprit. Justement le soir où je ne rêve que de me donner à lui et de le prendre en moi! C'est lui mon fantasme, il n'y en a pas d'autre. Où est-ce qu'il se planque maintenant?

9

Coma

— Bonjour, Annie. Garde Legendre de l'Hôtel-Dieu à l'appareil. C'est au sujet de Charles-Yves Bienvenue. Nous avons trouvé votre numéro dans ses affaires. Êtes-vous de la famille?

Charlie! L'hôpital! Déjà? Enfin! Si on m'avait dit que je serais presque contente de vivre pour vrai ce maudit cauchemar après tous les *previews* que mon esprit en a eu... Pourtant, c'est une vraie délivrance après l'angoisse des cinq derniers jours. Le doute, l'attente. Les téléphones aux amis, aux amis d'amis, aux amis d'amis d'amis. Les voyages impossibles, inutiles. La panique. L'interrogatoire de la police. Celui, bien pire, des parents de Charles-Yves. L'incertitude totale. L'attente désespérée. L'enfer, quoi!

— Allô? Allô Annie? Écoutez-moi. Charles-Yves a eu un accident, mais son état est... stable. Ne vous inquiétez pas. Nous devons joindre ses parents. Pouvez-vous nous aider?

Et voilà. Ça y est. Étrange impression de déjà-vu, de déjà vécu. La chambre aux murs jaune pipi. Charles-Yves sur le lit, comme mort. Les fils qui sortent de sa bouche, de son nez, de sa peau. Les machines qui nourrissent son sang, oxygènent ses poumons, espionnent son cerveau, amplifient son cœur. Rien pour l'esprit pourtant. Où est-il?

Par bribes, je saisis des conversations, des interrogations, des explications. Fugue inexplicable... Passé toxicomane inconnu... Narcolepsie éthylique... État psychodysleptique toxicodépendant... Lavement gastrique... État de choc... Pronostic incertain...

La médecin responsable, les nombreux internes, externes, résidents, visages anonymes. Le policier et le travailleur social, à cause de la fugue. Les infirmières interchangeables. Les parents de Charles-Yves bien sûr. Même les miens, même ses grands-parents, *matantes* et *mononcles* en tout genre. Tout le monde est au courant, évalue, chuchote, discute. Moi? Bof, je ne suis que la petite amie. Rien d'important. Pourquoi gaspiller sa salive à m'expliquer la situation, à me demander mon avis?

Après tout, je ne connais que les raisons de sa fugue et de son *overdose*. Quant au pronostic, comme ils disent, je n'en ai qu'une intuition indirecte et encore, à très long terme. Nos chicanes d'amoureux de l'an deux mille et quelques, ça n'intéresse personne...

M'en fous! Vos savants diagnostics non plus ne m'intéressent pas. Vos regards accusateurs ou apitoyés me laissent froide. Vous n'êtes même pas capables de voir le principal, de chercher l'essentiel. Un corps vidé de son esprit, c'est un mort! Gardez son corps en vie, le temps que je retrouve son esprit, c'est tout ce que je vous demande. Moi, je vais le ressusciter. Mais n'ayez pas peur, je vous laisse le crédit du miracle, à vous, à votre science et à vos machines sophistiquées.

Je m'installe dans un coin tranquille. Je fais semblant de m'endormir d'épuisement nerveux. Il ne manquerait plus que cette bande de docs en tous genres me croit tombée dans un coma psychomachintique moi aussi. Je n'ai aucune envie de revenir dans un corps branché de partout!

Il faut que ça marche. Je leur pique une dose de morphine s'il le faut, mais je décolle! C'est la première fois que ça m'arrive. Je ne comprends pas pourquoi, peut-être l'angoisse. Depuis l'autre soir, depuis que j'ai rencontré Brumehaut, depuis que Charles-Yves est parti, j'ai tout essayé. Mon esprit n'a pas bougé d'un poil. Paralysé, sourd, ignorant. Comme s'il n'avait jamais entendu parler de voyage astral de sa vie!

J'exagère, d'accord. Mais si peu. J'ai réussi à décoller quelques petites fois, c'est vrai. Mais pour rien. Juste le temps d'apercevoir Brumehaut et Romulf dans un duel aussi interminable qu'abominable. Non mais, qu'est-ce que j'en ai à foutre moi, de ces chevaliers du moyen âge et de leur belle? Aucun intérêt. C'est Charles-Yves que je cherche!

Pour une fois que j'avais un besoin vraiment vital d'un voyage astral bien dirigé... Obsédée comme je l'étais par Charles-Yves, je l'aurais sûrement lui retrouver. J'aurais pu lui parler, lui expliquer. L'esprit de Brumehaut le fait bien, lui. Pourquoi pas moi? J'aurais pu empêcher ce stupide *bad trip*. Mais mon esprit n'a pas obéi.

O.K. Pas de panique. La situation a changé. Mieux: je la connais déjà. Mon esprit n'a plus d'excuse pour cafouiller. Patience. Je sais que je vais le retrouver. Je n'ai qu'à garder mon sang-froid et à diriger mon esprit vers Charles-Yves. Au pire, il aboutira dans la trentaine. Ça pourra au moins me rassurer. Et s'il s'obstine à retourner au moyen âge, je réquisitionne l'esprit surpuissant de Brumehaut! Allez hop! «Mourlour».

Eh! merde! Encore lui! Encore Brumehaut, Romulf et leur satané duel! Quelle idiote d'y penser juste au décollage, aussi.

Bon alors, retour à la case départ, en l'occurrence ma vieille carcasse enfoncée dans le fauteuil de la chambre jaune pipi. Personne n'a eu l'air de remarquer mon... absence, disons. Et toi Charles?...

CHARLIE! Au secours! Qu'est-ce qui se passe? Le moniteur cardiaque qui crie, l'encéphalogramme qui s'emballe, les infirmières qui courent.

Et Charles-Yves qui brandit le poing, crispe son visage presque transparent, écarquille les yeux comme un revenant, pousse un hurlement maléfique et retombe en tremblant. Il souffre, il se bat lui aussi. Contre quoi, contre qui?

Aucune de leurs savantes explications sur la nature des différents comas et les séquelles hallucinatoires de l'abus de drogues ne répond à ma question. C'est pourtant la question, la seule utile, la seule pertinente. Est-ce la vie qui s'acharne ou la mort qui frappe? Est-il à moitié vivant ou à moitié mort?

Vivant, moi je le sais. J'en suis sûre. Je veux en être sûre... Je vais m'en assurer! Et je vais ramener l'autre moitié à la vie aussi. Donne-moi ta main Charlie. Je t'aime. Je ne veux pas te perdre. Je pense à toi. Attends-moi. «Mourlour...»

Encore au moyen âge?!! Non mais, ce n'est pas possible. Cette fois-ci, j'ai fait attention pourtant, je me suis concentrée uniquement sur Charles-Yves. Pas l'ombre d'un beau Brumehaut, d'une petite Nouria, encore moins d'un gros Romulf dans mes pensées. Qu'est-ce que c'est que cette obsession, ce blocage au moyen âge? Et ce duel qui dure et qui dure. Comme le coma de Charlie. Quel rapport?

Si ce n'était pas seulement un bug*? Après tout, un esprit, c'est nettement plus complexe et subtil qu'un ordinateur. Ça ne peut pas être un pur hasard. Si mon esprit revient toujours systématiquement vers Brumehaut, il doit y avoir une raison. Et si son esprit pouvait vraiment m'aider...*

Peut-être, mais pas tout de suite, tout de suite. Il est, comme qui dirait, occupé ailleurs. Même que dans la situation actuelle, je crains que la plus petite distraction ne lui soit fatale. Depuis le temps que dure ce duel, il n'oppose plus que deux épaves humaines. Se distinguant à peine à travers leurs paupières tuméfiées, leurs yeux hagards. Traînant péniblement leurs corps estropiés. S'acharnant à soulever leurs armes ensanglantées pour fendre mollement le vide la plupart du temps. Un seul coup, un bon, un vrai et c'est la victoire. Ou la mort. Chacune de son côté.

Si je distrais Brumehaut, il passe côté mort, c'est certain. Je ne peux pas faire ça. Mais quoi, je ne vais quand même pas rester là, spectatrice passive d'un duel épique en plein moyen âge? Alors que mon amour est suspendu entre la vie et la mort! Il faut que Brumehaut s'en sorte. C'est le seul moyen de savoir, d'obtenir son appui. Si je l'aide, il ne pourra rien me refuser. Mais comment faire? Peut-être que... Oui, avec de la concentration, ça peut marcher!

—Romulf? Romulf! Rat-mufle! Majesté le Rat des Mufles, écoutez la voix de votre conscience, si vous en avez une... Votre heure a sonné, Rat-mufle. L'enfer vous attend. Vous allez expier vos crimes pour l'éternité. Le viol de la petite Nouria tout

spécialement. Et de combien d'autres innocentes encore? Inutile de chercher, vous ne pouvez voir de moi que l'éblouissement qui vous brûle les yeux. Je suis la grande faucheuse venue vous cueillir. Demandez grâce à Dieu, au moins pour sauver les apparences face à la postérité. Parce qu'il ne vous évitera aucun supplice, je le connais Dieu, c'est un copain. Allez, à genoux, Rat-Mufle! À terre, l'épée!

Et SCHLACK! Bravo Brumehaut! Beau coup. Je ne connais pas grand-chose à l'escrime, mais je sais apprécier le résultat. Fauchée, la grosse tête baveuse, morveuse, saignante et dégoûtante. Fauchée, tourbillonnant dans l'air ensanglanté... et SPLATCH! éclatée contre un tronc tout dégueulassé de cervelle écrabouillée. Et le corps qui s'affaisse mollement en pissant le sang comme une borne d'incendie.

BIARK! Ni Walt Disney, ni Spielberg, plutôt le genre Stephen King. Et encore, il y en a des pires que je ne connais pas, je ne suis pas amateur de ketchup... Reste que le vrai sang dans la vraie vie, c'est pas mal plus écœurant que dans un bouquin ou même qu'au cinéma. Heureusement que je ne traîne pas mon estomac avec moi, il n'aurait sûrement pas résisté.

—Eh! Brumehaut! Je comprends que l'émotion te coupe les jambes... La fatigue aussi peut-être? On a beau être un preux chevalier sans peur et sans reproche, décidé à tout pour conquérir sa belle, soixante-douze heures de combat acharné, ça ramollit quand même un peu. Mais ce n'est pas le moment d'y passer toi aussi. J'ai besoin de toi. Nouria aussi d'ailleurs. Allez, un peu de nerf, traîne-toi jusqu'au château avant qu'un autre vieux sadique mette le grappin sur ta princesse. Grouille! Avec le violent parfum de sang frais que tu dégages, les loups ne seront pas longs à te repérer. Brumehaut! BRUMEHAUT!

Merde, dans les vapes lui aussi! Non mais, qu'est-ce que c'est que ces mecs qui tournent de l'œil à la moindre égratignure! Enfin, façon de parler...

— AHHHRG!

Charlie! Non! Je ne m'habitue pas à ses crises. À ses yeux qui lancent des éclairs. À ses mains qui se crispent à blanc sur une arme imaginaire. À son corps qui se cabre tout entier dans un ultime sursaut de violence. C'est avec le diable en personne qu'il se bat! Il me semble que ce serait moins effrayant sans toutes ces machines qui s'affolent, ces infirmières qui s'affairent. C'est déjà assez dur de le voir paniquer, lui. Enfin, il retombe. Plus raide, encore plus froid qu'avant. Inhabité?

— Charlie? Oh! Charlie! Regardez, il me regarde! Je suis là Charlie! Je t'aime. N'aie pas peur. C'est fini. Je suis là. N'aie pas peur...

Ses yeux s'accrochent, s'agrippent à moi comme à une impossible bouée de sauvetage. Son regard s'affole, prisonnier d'un corps de pierre. La panique, la détresse, l'angoisse, la haine, le désespoir. Vision d'horreur. J'ai aussi peur que lui. J'ai peur de lui. De ses yeux fous de douleur et de rage, sombres comme la forêt profonde. Des larmes qui roulent sur son visage pétrifié. De son corps qui ne répond plus. Des hurlements de détresse prisonniers de sa gorge.

Ils l'emmènent pour des tests. Ses yeux me suivent tant qu'ils peuvent. À faire mal, à éclater, à s'arracher des orbites. Mais sa tête reste figée. Il est réveillé, mais il ne peut plus bouger. Tout à l'heure son esprit semblait mort, même si son corps était vivant. Maintenant son esprit est revenu, c'est son corps qui est comme mort.

Locked in syndrome. L'anglais n'est pas de moi, il est de la doc elle-même. Elle dit qu'il est totalement paralysé mais pleinement conscient. Comme si son esprit était bloqué à l'intérieur de son corps et qu'il ne trouvait plus la clé pour le faire obéir.

Pas si fou comme diagnostic, pour

une fois. Elle dit aussi qu'on ne connaît encore aucun véritable traitement, que ça peut durer des années... Vingt ans? Jusqu'à la trentaine? NON! Ça ne se peut pas. Je ne veux pas. Destin ou pas, je ne peux pas laisser faire ça. Suffit, les doutes existentiels sur ce que j'ai le droit ou pas de faire avec mes voyages. Je vais la trouver, moi, sa foutue clé!

10

Dernière heure

Cette fois, ça y est, j'ai compris. Non, je n'ai pas trouvé la clé de Charles-Yves, pas encore. Mais il va mieux. Ses yeux ont repris leurs reflets d'océan. La folie meurtrière les a quittés. Même la détresse s'apaise peu à peu. Couché, parfaitement immobile, les yeux comme seuls liens au monde, il repose en paix. Brrr! Formule macabre...

Non, il n'est pas mort, loin de là. Et il ne mourra pas. Il s'en sortira. Je le sais maintenant. J'ai lâché Brumehaut et le moyen âge. Chaque voyage pour rejoindre l'esprit de Charles-Yves m'amène dans la trentaine. Je nous vois. C'est lui, j'en suis sûre, vivant, bien vivant et bougeant. Finie la paralysie. Enfin!

J'ai aussi appris ce qui ne va pas, enfin ce qui n'ira pas à ce moment-là. Vous savez le pourquoi de la peine d'amour? Je vous le donne en mille. À cause des nombreux enfants! Vous m'imaginez déjà avec trois ou quatre petits braillards pendus à mes jeans, un bébé au sein, un autre en route, pendant que Monsieur leur père lit tranquillement son journal? Il y aurait de quoi crier, en effet. Mais vous n'y êtes pas du tout.

Alors, vous nous voyez peut-être jongler avec des quintuplés, deux sur chaque bras et le cinquième en l'air? Pas la situation idéale pour des amoureux, s'envoyer la balle... Mais non, ce n'est pas ça non plus. C'est bien plus banal, en fait. Il n'y a pas l'ombre d'un bébé dans le décor. Charles-Yves ne veut rien savoir avec l'idée d'être père. Le problème, c'est que moi je crève d'envie de connaître les joies de la maternité. Voilà. C'est tout. Ni bébé-éprouvette, ni avortement clandestin, ni rupture pour cause de stérilité. Juste ça.

Ce n'est peut-être pas franchement rigolo pour l'avenir, mais je m'en fous. Pour l'instant, c'est mille fois mieux que de ne rien savoir du tout. Les autres me font pitié, les parents de Charles-Yves surtout. Quand il est sorti du coma, ils ont cru que c'était fini, que tout redeviendrait normal. Leur euphorie est vite retombée devant l'horrible diagnostic. Depuis, ils s'enfoncent dans le désespoir. Ils n'ont rien à quoi se raccrocher. Ils prient, c'est tout. Entre ça et des *pinotes*... Je n'ai rien contre. À leur place, sans aucun moyen de connaître l'avenir, je ne ferais sans doute pas mieux. Mais ça fait pitié quand même.

Peur aussi. Je vois bien qu'ils y croient de moins en moins. Ils viennent moins souvent. Ils ne le touchent presque plus, lui parlent à peine. Ils ne se battent plus à ses côtés. Ils ne m'engueulent plus depuis longtemps. Ils m'adressent même la parole avec un petit sourire triste.

C'est moi qui ai l'air d'avoir la foi. Tous les jours, je suis là, je lui parle, je l'embrasse, je le caresse, je me couche avec lui. Il me répond les yeux dans les yeux. Le contact de nos mains, de nos peaux, de nos corps nous fait du bien. À lui autant qu'à moi, j'en suis sûre.

Cet hiver, je posais mes mains glacées sur ses joues mal rasées. Je les cachais sous les couvertures pour me réchauffer à son corps, il frissonnait en battant des cils. De froid, mais aussi de plaisir. C'est comme ça que j'ai compris qu'on pouvait rester en contact malgré tout. Par le regard bien sûr, mais aussi par le corps. Ses muscles sont paralysés, mais pas ses sens.

Chaque fois que je viens le voir, je me penche vers lui, j'appuie mon cou contre son visage. Il respire mon parfum et je vois un sourire qui roule en cascade au fond de ses yeux.

Bien sûr, je porte toujours le même parfum. En fait, ce n'est pas tout à fait du parfum, c'est un petit *mix* personnel à base d'essence d'amandes. Un secret entre nous. Un jour de caresses, je lui ai dit qu'il avait une odeur de noix grillées. Il a ri et m'a répondu que moi c'était plutôt d'amande douce. C'est devenu vrai.

Quand on est tout seuls tous les deux, je prends ses mains abandonnées sur la couverture et je les glisse sous mon chandail. Il sourit encore. Des étincelles de plaisir dorent ses yeux verts quand j'aide ses doigts à caresser ma peau. Son regard se fait doux, sensuel, enveloppant. Il m'enlace, m'embrasse, pénètre en moi comme on fait l'amour.

Ce matin, je lui apporte des fleurs, des crocus que j'ai piqués sur un parterre. Je les lui ferai sentir. Je viens tout juste de me rendre compte que Charles-Yves est enfermé dans son syndrome depuis exactement quatre mois. Des fleurs, c'est la vie, c'est le réveil de la vie. Un bon moyen de souligner ça, quoi!

Ses parents sont déjà là. C'est rare. Il se passe quelque chose...

— Bonjour?

Des sanglots étouffés me répondent. Sa mère est assise à côté du lit, raide, comme pétrifiée. Son regard est fixe, ses yeux rouges et secs d'avoir trop pleuré. Sans le tremblement de feuille d'automne qui l'agite de la tête aux pieds, je l'aurais crue morte, congelée. Son père, debout contre la fenêtre, s'est retourné pour cacher ses larmes, mais des spasmes secouent ses épaules cassées.

La porte s'ouvre derrière moi.

— Pardon. Madame Bienvenue. Monsieur. Je crois qu'il vaudrait mieux passer dans mon bureau. Je vous attends.

C'est moi que la médecin regarde, mais c'est à eux qu'elle s'adresse. La mère de Charles-Yves la suit, comme une souris de laboratoire lobotomisée. Son père pousse un soupir d'agonie, se mouche bruyamment puis sort en regardant ses pieds. La main sur la porte, il s'arrête, se retourne. Lentement, comme si elle pesait tout le poids du monde, il relève la tête vers moi. La détresse de son regard! Une épée qui me transperce... Il se passe quelque chose, mais quoi? J'ai peur.

—«Mourlour». Quoi? J'ai dit mourlour moi? Faut croire. Je ne vois pas comment Brumehaut aurait pris la place de Charles-Yves, sinon. Après tout ce temps, je l'avais un peu oublié. Qu'est-ce qu'il fout ici, maintenant? Il faut que je reste avec Charles-Yves, que je sache ce qui se passe à l'hôpital.

Où est-ce que je suis, au fait? Ce n'est pas Brumehaut qui a abouti dans le lit de Charles-Yves, c'est moi qui l'ai rejoint à son chevet. Mais où? Il fait noir comme chez le loup ici. Ça pue comme chez le loup aussi. Ce n'est pas un terrier quand même, plutôt une vieille cabane. Je devine des murs de pierre compacts, une petite porte en bois noir. Aucune fenêtre, pas le moindre orifice laissant filtrer le jour, ou la nuit, je ne sais pas. Apparemment aucun meuble, à part la haute table où repose Brumehaut. Un toit bas, un sol en terre battue jonché de crottin et une odeur de vieux bouc qui prend à la gorge. Ce doit être une bergerie.

Brumehaut a dû se traîner jusqu'ici après le duel avec Romulf. Ça fait des mois! Alors, il est dans le coma lui aussi? Peut-être pas... Peut-être seulement blessé. Peut-être qu'il dort tout simplement. Mais oui, il ronfle. Quoique...

Non, ce n'est pas de lui que vient le bruit. Des bêtes? Ça bouge dans le coin. Ça grognasse un peu, ça s'étire, ça se lève. Sur deux pattes. Ce n'est pas un mouton. La forme vaguement humaine clopine vers la porte. Enfin de l'air et de la lumière. Une lumière blême et grise de brouillard matinal, mais qui blesse presque les yeux après la lourde obscurité. Enfin, on voit quelque chose et la puanteur s'allège un peu, on ne va pas se plaindre.

Sans se retourner, la forme humaine ouvre une autre porte que je n'avais pas vue sur le côté, plus basse. Bruits de sabots, de cloches, bêlements, paquets de laine crottée qui passent à la queue leu leu puis s'évanouissent dans le brouillard, comme la forme humaine à leur suite. C'est bien une bergerie.

Sans doute le berger a-t-il trouvé Brumehaut à moitié mort dans la forêt. Devinant le chevalier malgré ses habits en lambeaux, poissés de boue et de sang, il l'aura traîné ici dans l'espoir d'une quelconque récompense royale. Le pauvre, s'il savait...

Le revoilà justement. Je vais lui voir la binette... OUARCHE! Quel «deg»! Pire que les plus moches mendiants du château. Sous un crasseux manteau de laine grisâtre, on devine son corps comme une vieille branche tordue et voûtée. Sortant des manches déchirées, trois doigts affreusement crochus agrippent un chaudron d'eau vaseuse d'un côté; de l'autre, un moignon galeux serre une branche au bout poilu qui doit servir de balai.

Et sa binette, au fait? Sa gueule disons, c'est plus approprié pour une tête pareille. Perdue sous une tignasse enchevêtrée de feuilles, de brindilles, de boue et de crottin séchés, elle est infestée d'un immonde grouillement de bestioles en tous genres. Il s'y cacherait une vipère que je ne serais pas étonnée. Ce n'est pas un berger, c'est un sorcier!

Ou une sorcière. Je ne sais pas pourquoi, quelque chose me fait plutôt pencher pour le féminin. Le visage anguleux et décharné? La peau translucide sous les pustules et la saleté? Les yeux bleu nuit, enfoncés dans les orbites, perçants comme des lames de couteaux? Le nez morveux, en bec de corbeau? La bouche calleuse aux dents pourries? Le menton en galoche piqué de rares poils? Oui, c'est ça, les poils! Si c'était un homme, il serait barbu et moustachu, pas juste vaguement poilu.

Moi qui ne crois plus aux sorcières depuis... oh! bien plus longtemps que les princes charmants. Celle-là est vraiment digne des meilleurs contes de fées! Il ne lui manque que le chat noir et la potion magique. Même pas, la barbotine de son chaudron, ça doit être une infâme bouillasse de bave de crapaud et de pisse d'araignée qu'elle utilise pour empoisonner les passants...

HORREUR! Elle en donne à Brumehaut! Elle le drogue, elle le tue à petit feu, elle... Euh... non. On dirait plutôt qu'elle le lave. Enfin, disons qu'elle change la saleté de place. En tout cas, elle le soigne, elle lui parle d'une voix presque douce.

—Bien le bonjour, mon beau seigneur. Voici venu le temps. Vois le pieu de bois. J'y griffe la dixième coche de la dixième colonne. As-tu souvenance de la prophétie? Cent jours, le sommeil te bercera, alors la lumière t'éblouira.

Avec ce maudit crachin qui colle à la terre, le soleil risque pas de t'aveugler aujourd'hui. Y a plus que la flamme du Saint-Esprit ou la foudre de l'enfer pour t'illuminer. Je saurais point dire laquelle. Mais je crains bien que ton heure dernière sonne avant brune.

Brune? C'est quoi ça? La brunante peut-être, le coucher du soleil. Brumehaut va mourir avant ce soir, alors. Mais la lumière, est-ce nécessairement la mort? Il paraît que ça a l'air de ça, c'est vrai. Mais qu'est-ce que je peux faire contre la mort? C'est l'esprit de Brumehaut qui m'a appelée à son secours? Ou à celui de Nouria? Ou...

Charlie! NON!

11

Lumières

—ASSASSINS! Vous êtes des assassins, tous! Complices, avec votre science, votre foi et tout le tralala. Il n'est pas dégueu. Il n'est pas pourri. Il n'est même pas vieux. Et il ne vous a pas sonnés! Vous ne lui avez même pas demandé son avis. Des yeux, ce n'est pas rien que des jolies billes de verre, ça parle. Ses yeux à lui, ils crient! Vous ne le toucherez pas! Vous ne farfouillerez pas dans sa tête. Essayez pour voir. Je m'enchaîne à lui. Il va falloir que vous me passiez dessus, que vous me coupiez en morceaux! Attention, je mords!

Et lâchez-moi avec vos beaux discours scientifico-humanitaires sur les atteintes cérébrales, les potentiels de rémission, les neurochirurgies révolutionnaires et les risques statistiques. Vingt pour cent de chances de guérir contre quatre-vingts d'en mourir. La roulette russe, oui! Ni rat de laboratoire ni Frankenstein, il n'est pas volontaire pour vos interventions expérimentales. Vous n'avez pas le droit de risquer sa vie pour l'avancement de la science. Foutez-lui la paix ou je vous poursuis tous pour tentative d'homicide volontaire avec préméditation. DEHORS! ASSASSINS!

Oh! Charlie! Charlie! Tu les as vus? Tu les as entendus? La médecin, les yeux de grenouille, la bouche de poisson. Soufflée que je bafoue son autorité sans doute. Ou juste embêtée que je l'empêche de classer un dossier qui lui brûle les mains. Ou soulagée peut-être... Je ne voudrais pas de sa *job*!

Je les accuse, mais dans le fond, ils me font pitié. Ta mère complètement capotée: crise d'hystérie, piqûre de calmant, camisole de force presque. Ton père effondré, ratatiné de souffrance et de honte. J'ai peut-être rêvé, j'ai cru l'entendre souffler un petit merci. Tu l'as entendu aussi?

N'aie pas peur, Charlie. Je ne les laisserai pas te tripoter. J'ai beau ne pas faire partie de leur conseil des sages, ni doc, ni famille, ni même adulte, ils ne peuvent plus m'ignorer. Je ne les laisserai plus entrer, personne. Je t'aime Charlie! Je ne te quitte plus. Je jure que je vais te sortir de ta prison. Avant brune comme dit l'autre...

—Charlie? Charlie, tu es là?

Ce nuage qui m'enveloppe... Cette lumière diffuse et scintillante à la fois... La prophétie de Brumehaut? Le passage vers la mort? Ou alors je rejoins l'esprit de Charles-Yves? J'ai peur.

—Charlie? Charlie, réponds-moi. Parle-moi. Envoie-moi un signe. N'importe quoi. Que je sache que tu es là...

—Mê!

Qu'est-ce que c'est que ça?...

—Bêêêêê!

Idiote! Débile! Schizo! La lumière de la mort, la communion des esprits! Pourquoi pas les anges avec leurs grandes ailes et leurs harpes dorées, tant qu'à y être? Nuage de brouillard et petits moutons, tout bêtement. Encore un retour au moyen âge. Et cette forme vaguement humaine drapée de noir? Sûrement notre charmante bergère sorcière qui court après son troupeau...

—Brumehaut? Brumehaut, mon doux sauveur! Je sens votre présence à mes côtés... Votre âme erre-t-elle déjà dans ces vapeurs insolites? Brumehaut, ma tendre passion, ne quittez pas sans moi les tristes rivages de la vie terrestre. Entendez mon appel. Laissez-moi guider notre destin. Vers la vie, vers la mort, qu'il nous réunisse enfin. Laissez-moi être le phare de votre félicité éternelle.

Nouria! Elle a réussi à se sauver du château! Et elle cherche son prince charmant, bien sûr. On est deux, alors... Si elle suit les moutons, c'est gagné. Et moi, je suis qui, je suis quoi? Le troupeau s'est évanoui, le nuage humide et clair se referme derrière Nouria.

—Charlie, aide-moi, guide-moi.

Maintenir le contact. Il faut à tout prix que je reste dans la réalité, que je garde contact avec Charles-Yves, que je réveille Charles-Yves. Ça ne marche pas par l'esprit? *Exit* l'esprit! Ça passera par le corps. Le corps-à-corps. Notre contact, c'est peau-à-peau, depuis toujours.

D'abord, bloquer la porte. Aucune intrusion tolérée dans notre antre secret. Avec toutes ces lourdes machines, je devrais y arriver. Ensuite, éteindre cette lumière crue, indécente, qui blesse ses yeux. Clic! et la noirceur fut. Mon foulard rose sur la lampe de chevet comme un lampion: chaleur, intimité, mystère.

Au tour des bip-bip. Aucun besoin

de quincaillerie sophistiquée pour sentir palpiter son cœur, frémir son cerveau, vibrer son corps. Mon corps va prendre possession du sien. Je serai son amplificateur, son moniteur à électrodes. Son respirateur? Quand même pas. Pas tout de suite. Une couverture devrait étouffer un peu ce gros poumon mécanique, transformer sa respiration saccadée en halètement doux.

Maintenant, chasser cette infecte senteur de médicaments, de désinfectants, de pisse, de sang, de douleur et de peur, d'hôpital, quoi! Mon parfum d'amande, est-ce que je l'ai apporté? Parfait! Dans mon cou, entre mes seins. Sur le radiateur aussi, emplir la pièce de mon odeur. Monter la chaleur.

Et puis, peindre son corps, pourquoi pas? Et le mien. Symboles sacrés. Je suis une grande prêtresse de je ne sais quelles anciennes croyances, Brumehaut l'a dit. Il est temps que ça serve. Mon rouge à lèvres glisse, encercle mes seins, mon ventre, souligne mon pubis, marque mes cuisses. Ses yeux suivent à la trace, fébriles.

— Charlie, c'est moi. Amande, peau douce. Sens, touche. Réveille ton corps.

Mes yeux dans ses yeux. Ses yeux du fond de l'océan. Contact. Mon souffle dans son cou. Sourire. Mon sein dans sa main. Plaisir. Mon rouge sur sa peau. Frisson. Mes doigts le long de son corps. Courant électrique. Mes lèvres qui le cherchent. Paille de ses cheveux ébouriffés, pétales de ses paupières frémissantes, sable de ses joues mal rasées, fruit mûr de ses lèvres entrouvertes... Ne crains rien Charlie, je suis là, je respire pour toi. Je suis ton oxygène, ton inspiration, ton souffle de vie. Abandonne-moi tes lèvres, ouvre-moi ta bouche...

— Charlie!

— Nouria?

* * *

BIIIP!!!

Les respirateurs sont reliés au

poste des infirmières. À la moindre alerte, ça sonne. Personne n'avait eu l'obligeance de m'en informer, évidemment. De toute façon, ça ne m'aurait pas empêchée d'arracher son maudit tube pour poser mon baiser magique sur sa bouche, comme dans les contes de fées. Oui, magique: il a répondu à mon baiser! Il a ouvert mes lèvres, y a glissé sa langue. Après des mois de *locked in syndrome*, si c'est pas de la magie, c'est un miracle, rien de moins!

Le branle-bas de combat quand ils ont compris que la porte était coincée de l'intérieur, une vraie panique de *Titanic*! Bien sûr, pour eux, c'était une question de vie ou de mort. Quand même étrange pour des gens qui jonglaient avec ses chances de survie quelques heures plus tôt...

Il fallait voir leurs têtes quand ils ont réussi à ouvrir. Ahuries, horrifiées, éberluées, stupéfaites! Sortez tout votre vocabulaire de surprise, d'incompréhension et de reproche, ça ne sera pas encore assez. Dans leurs yeux, je nous ai vus comme des sauvages en plein rite de cannibalisme, des vampires en messe satanique, des revenants lubriques, des aliénés fous furieux à lier. Je me demande encore comment on a échappés au département de psychiatrie, d'ailleurs...

Surtout qu'on était tellement fous de bonheur de se retrouver enfin qu'on s'est tout raconté. Tout ce qu'on venait de vivre ensemble, mais chacun de son côté. Sans prêter la moindre attention à cette armée qui bourdonnait autour de nous. De lui surtout. Mesurer son pouls, son tracé cérébral, sa capacité pulmonaire, sa résistance musculaire, sa dilatation oculaire et je ne sais quoi encore.

Ils n'en revenaient pas, criaient au miracle ou à l'imposture. Nous, on s'en foutait. On s'était retrouvés, c'est tout ce qui comptait au monde. Les yeux dans les yeux bien sûr. Mais aussi la bouche sur la bouche. La peau contre la peau. Les doigts entrelacés. Les bras serrés à s'étouffer. Les corps ressuscités. On parlait, on riait, on pleurait, on s'embrassait, on se caressait tout en même temps. Insatiables.

Ils n'ont pas pu nous séparer. On s'est lovés ensemble sous les draps, refuge au milieu de la tempête. Oui lovés, c'est le mot parfait, si on mélange le français et l'anglais, qui dit le contact et l'amour en même temps. Se lover: se coller comme pour faire l'amour.

Alors, on a remontés le temps, du baiser de conte de fées au soir de sa fuite. Le baiser magique, ce n'était pas vraiment moi, mes pouvoirs ne vont pas jusque-là. C'était Nouria. C'est pour ça que Charles-Yves a murmuré son nom en glissant sa langue entre mes lèvres, premier geste de son retour à la vie. Exactement comme j'avais prononcé celui de Brumehaut en revenant de voyage, le fameux soir où tout ce *bad trip* a commencé. La boucle est bouclée, on est quittes. Je vous explique vite, vite.

Quand Charlie est arrivé à la maison le soir de nos six mois, il m'a trouvée étendue sur mon lit. Il a tout de suite su que j'étais en plein voyage. Il n'a pas voulu me réveiller, comme une somnambule. Mais ma chemise ouverte, la camisole de soie prêtée par Lola, mon parfum d'amandes, il n'a pas pu résister. Il s'est couché à mes côtés. Il a seulement effleuré mon corps en me déshabillant tout doucement.

C'est au milieu de ses caresses que je suis revenue de ma rencontre avec Brumehaut dans le *no man's land* de l'espace-temps. C'est au milieu de ses caresses que j'ai soufflé un autre nom que le sien, celui de Brumehaut, qu'il ne connaissait pas vraiment. Impulsif et emporté comme il est, il a immédiatement cru que je le trompais, que je rêvais d'un autre que lui, que je ne l'aimais plus. Et il s'est poussé avant que je reprenne mes esprits. Un monumental malentendu, quoi! Que j'aurais pu dissiper par une simple petite explication. Si je l'avais retrouvé, bien sûr.

Le problème, c'est que ce soir-là, un gars venait justement de lui proposer un truc rare, de la mescaline ça s'appelle, très hallucinogène. Pas le soir de notre fête quand même! Il avait refusé. Mais en sortant, fou de rage, de honte et de jalousie, il a retrouvé le type. Il s'est enfilé deux doses à lui tout seul, qu'il a noyées dans la bière. Et ça a marché, il a décollé!

Après, il ne se rappelle plus très bien. Il m'a raconté son corps qui flottait comme dans un nuage. Son esprit qui se débinait à toute vitesse. Un mince fil fluorescent qui se déroulait, entraîné, attiré par un rayon laser trop puissant pour y résister.

Je suppose que les docs appellent ça une hallucination psycho-toxico-machin! Pour moi, ça a toutes les apparences d'un voyage astral. Avec le sieur Brumehaut de Ville Anvers comme guide, apparemment! Alors bien sûr, Charles-Yves a abouti lui aussi au moyen âge.

Puis SCHLACK! un grand coup d'épée! Le fil de l'esprit de Charles-Yves casse. Le laser de l'esprit de Brumehaut l'enveloppe dans un tourbillon ultraviolet et le voilà dans un autre corps. Affreusement *magané*. Et complètement halluciné. Il entend des voix. Une voix en fait, une espèce de revenant qui le conjure de venger sa mort. C'était Brumehaut bien sûr, traîtreusement attaqué par Romulf juste avant le duel. Alors Charles-Yves a joué le jeu, comme un vrai chevalier, jusqu'au bout.

C'était donc lui que mon esprit retrouvait à chacun de mes voyages au moyen âge. C'est dans son duel que je suis intervenue. En aidant Brumehaut, c'est en fait la vie de Charlie que j'ai sauvée!

12

Jusqu'à la fin des temps

— Ouf! Ça y est, cette fois-ci elle dort. Moi qui croyais qu'on passerait la soirée à se bécoter. Je ne savais pas dans quoi je m'embarquais en venant garder avec toi. Tu aurais pu me dire qu'elle se cherchait désespérément un père. Jouer au papa, je veux bien, mais d'une autre manière je préfère...

Un père. Pourtant, il ferait sûrement un bon père. Les enfants sentent ces choses-là. Mélanie l'a tout de suite adopté. Et ce n'est pas seulement parce que son vrai père est parti. Charlie a le tour avec elle, ça ne trompe pas. Alors pourquoi il ne veut pas de petit? Quand je l'ai appris, c'était sans importance, seule sa vie comptait. Depuis qu'il s'en est sorti, je n'arrête pas d'y penser.

— Charlie, regarde-moi. J'ai quelque chose à te demander. Quelque chose de sérieux. Quelque chose de grave. Pour nous deux. Charlie, veux-tu me faire un enfant?

Ses sourcils se lèvent en point d'interrogation. Il est plutôt surpris. Le contraire m'aurait étonnée. Ses yeux pétillent tout à coup, éclaboussent comme les tourbillons d'un rapide. Et son sourire s'élargit de sensualité. Il m'attire à lui, commence à détacher ma chemise.

— J'ai des condoms, si c'est ça que tu me demandes. Si ça te rassure, ça ne me dérange pas d'en mettre. Je veux que tu sois totalement en confiance, que tu t'abandonnes à mes caresses, que tu partages mon plaisir, que...

— Tu penses rien qu'à ça, Charles-Yves Bienvenue!

Ouille! La douche froide! Il a lâché ma chemise aussi sec, s'est raidi d'un coup. Les sourcils, encore plus hauts que tout à l'heure, contiennent à peine la tempête qui s'est levée dans son regard. Il ne va pas foutre le camp encore une fois, j'espère?

—Et toi, tu n'y penses pas peut-être? Rappelle-toi à l'hôpital, si je ne m'étais pas dégelé en vitesse, tu me violais! Depuis, ma convalescence te retient tout juste...

— Oh! Quand même! Elle est forte celle-là! Je te ressuscite et tu m'accuses de viol? ESPÈCE DE SALAUD!

—Arrêtez de vous chicaner!

Oups! Mélanie. Elle nous regarde en tremblant. Pas de froid, de peur. Les larmes ont chassé le sommeil de ses grands yeux bleus. On l'a réveillée, avec notre engueulade. Ce n'est pas correct. Elle en a déjà eu plus que sa ration, la pauvre petite. Elle m'a raconté des histoires épouvantables, pleines de pleurs, de cris et de coups qui volent bas. Il faut absolument que je la rassure.

Avant même que j'ouvre la bouche, Charles-Yves a réagi. Il ne connaît pas toute l'histoire de Mélanie pourtant, mais il la comprend. Il comprend sa peur, son besoin de douceur. Il la prend dans ses bras comme un vrai papa. Comme le papa qu'elle n'a jamais eu et qu'il ne sera jamais...

— Oublie ça, petite. Écoute plutôt. C'est l'histoire du Bel au bois dormant. «Il était une fois un charmant petit prince nommé Brumehaut. À sa naissance, il avait reçu un sort terrible d'une méchante fée. À l'âge de seize ans, il rencontrerait un ogre dans la forêt qui le mangerait. Heureusement, une bonne fée réussit à adoucir ce mauvais sort. Le prince ne mourrait pas de sa rencontre avec l'ogre, mais le combattrait vaillamment et le tuerait. Il entrerait ensuite dans un sommeil long de cent jours. Au centième jour, un baiser lumineux le réveillerait.»

Il raconte, il raconte. Sa voix

chaude coule dans les petites oreilles captivées. Ses bras forts bercent le frêle corps abandonné. Sa main douce caresse tendrement les cheveux de soie. Son charme masculin chasse les mauvais souvenirs. Il raconte, il raconte. Soupçonnant à peine le bonheur qui fond sur Mélanie comme un cornet de crème glacée au soleil. Soupçonnant encore moins le trouble qui s'éveille en moi.

«Le temps passa. Le roi chassa tous les ogres du royaume. Le prince Brumehaut grandit en sagesse, en bravoure et en beauté. Si bien qu'à son seizième anniversaire, le mauvais sort était complètement oublié. Le prince ayant reçu un beau cheval blanc en cadeau, il partit tout de suite galoper en forêt. Et il rencontra l'ogre, venu d'on ne sait où. Courageusement, Brumehaut se battit, pendant des jours et des nuits. Il eut finalement raison du méchant ogre, comme la jeune fée l'avait prédit. Mais, blessé lui aussi, il tomba d'épuisement au milieu de la forêt.

«Une gentille bergère, un peu sorcière, le trouva et le soigna avec sa magie. Au centième jour, il dormait toujours. Une belle princesse passait par là, la princesse Nouria, princesse Lumière dans la langue de sa mère, sultane des *Mille et Une Nuits.* Perdue dans le brouillard, la princesse chercha refuge dans la vieille bergerie. Apercevant le beau prince endormi, la princesse Lumière déposa un baiser sur ses lèvres, libérant son corps et son esprit. Il ouvrit les yeux comme par magie. Alors le prince et la princesse firent l'amour jusqu'à la fin des temps et eurent tout plein de beaux enfants.»

C'est fou. À mon âge, on ne croit plus aux contes de fées. Mais racontés par mon prince charmant... Mes yeux sont tout mouillés. Ceux de Mélanie sont bien secs eux. Les larmes sont parties, ses rêves sont revenus. Charlie la porte doucement dans son lit, dépose un baiser magique sur son front.

—Bonne nuit, petit cœur. Fais de beaux rêves en couleurs.

Une petite voix endormie lui répond.

—Bonne nuit Charlie. Fais bien l'amour avec Annie toi aussi.

—... Promis!

FIN

Boréal Inter

1. Le raisin devient banane
2. La Chimie entre nous
3. Viens-t'en, Jeff!
4. Trafic
5. Premier But
6. L'Ours de Val-David
7. Le Pégase de cristal
8. Deux heures et demie avant Jasmine
9. L'Été des autres
10. Opération Pyro
11. Le Dernier des raisins
12. Des hot-dogs sous le soleil
13. Y a-t-il un raisin dans cet avion?
14. Quelle heure est-il, Charles?
15. Blues 1946
16. Le Secret du lotto 6/49
17. Par ici la sortie!
18. L'Assassin jouait du trombone
19. Les Secrets de l'ultra-sonde
20. Carcasses
21. Samedi trouble
22. Otish

23. Les Mirages du vide
24. La Fille en cuir
25. Roux le fou
26. Esprit, es-tu là?

Boréal Junior

1. Corneilles
2. Robots et Robots inc.
3. La Dompteuse de perruche
4. Simon-les-nuages
5. Zamboni
6. Le Mystère des Borgs aux oreilles vertes
7. Une araignée sur le nez
8. La Dompteuse de rêves
9. Le Chien saucisse et les Voleurs de diamants
10. Tante-Lo est partie
11. La Machine à beauté
12. Le Record de Philibert Dupont
13. Le Bestiaire d'Anaïs
14. La BD donne des boutons
15. Comment se débarrasser de Puce
16. Mission à l'eau
17. Des bleuets dans mes lunettes
18. Camy risque tout
19. Les parfums font du pétard
20. La Nuit de l'Halloween
21. Sa Majesté des gouttières

22. Les Dents de la poule
23. Le Léopard à la peau de banane
24. Rodolphe Stiboustine ou l'enfant qui naquit deux fois
25. La Nuit des homards-garous
26. La Dompteuse de ouaouarons
27. Un voilier dans le cimetière
28. En panne dans la tempête
29. Le Trésor de Luigi